O FIM PARA O QUAL DEUS CRIOU O MUNDO

O FIM PARA O QUAL DEUS CRIOU O MUNDO

—

JONATHAN EDWARDS

Traduzido por Almiro Pisetta

Os textos das referências bíblicas foram extraídos da versão *Almeida Revista e Atualizada*, 2a ed. (Sociedade Bíblica do Brasil), salvo indicação específica.

CIP-Brasil. Catalogação na publicação
Sindicato Nacional dos Editores de Livros, RJ

E26f

Edwards, Jonathan
O fim para o qual Deus criou o mundo / Jonathan Edwards; tradução Almiro Pisetta. - 1. ed. - São Paulo: Mundo Cristão, 2017..
144 p. ; 21 cm.

Tradução de: The end for which God created the world

ISBN 978-85-433-0294-2

1. Criação (Doutrina bíblica). 2. Homem (Teologia). I. Pisetta, Almiro. II. Título.

18-48380 CDD: 231.765
CDU: 2-145.2

Categoria: Teologia
1ª edição: março de 2019

Edição
Daniel Faria

Revisão
Natália Custódio

Produção
Felipe Marques
Heda Lopes

Diagramação
Luciana Di Iorio

Publicado no Brasil com todos os direitos reservados por:

Editora Mundo Cristão
Rua Antônio Carlos Tacconi, 69
São Paulo, SP, Brasil
CEP 04810-020
Telefone: (11) 2127-4147
www.mundocristao.com.br

Sumário

Prefácio à edição em português

Este é um livro sobre um assunto sublime: a glória de Deus evidenciada em sua criação. Por ser um assunto tão colossal, o primeiro editor desta obra, Samuel Hopkins, alertou aos leitores que se tratava de um texto profundo, de maior interesse ao público estudado e inquisitivo, mas que exigia uma linguagem rigorosa a fim de retratar a grandeza do tema.[1] Tanto é que o livro começa com distinções e definições precisas a fim de aclarar a discussão do tópico em questão.

No entanto, esse alerta não deve desestimular sua leitura, caso você se considere pouco instruído em teologia ou filosofia. Afinal, o propósito do autor foi expandir a percepção de seus leitores com relação ao Deus criador de todas as coisas. Se você quer crescer no amor por Deus, precisa conhecê-lo melhor, e esta obra visa ajudá-lo a ter uma visão mais gloriosa do Senhor. Esse é um estímulo necessário para um cristianismo brasileiro que, em sua maioria, está acostumado a uma visão rasa de Cristo e da fé cristã.[2]

Tal visão majestosa do Deus Criador se deve à mente e piedade de Jonathan Edwards (1703–1758). Esse pastor congregacional nascido em East Windsor, Connecticut, foi,

[1] Samuel Hopkins, "Preface" em *The Works of Jonathan Edwards Online*, vol. 8, Paul Ramsey (org.), p. 401. As obras completas de Jonathan Edwards em sua edição crítica podem ser encontradas gratuitamente no *site* do Centro Jonathan Edwards da Universidade de Yale, nos Estados Unidos: <edwards.yale.edu>.

[2] Essa análise é feita por John Piper com relação ao evangelicalismo norte-americano, e creio ser válida também para o contexto brasileiro. Veja John Piper, *A Paixão de Deus por Sua Glória: Vivendo a Visão de Jonathan Edwards* (São Paulo: Cultura Cristã, 2008), p. 17-19.

possivelmente, o maior pensador da América Colonial (o período anterior à independência norte-americana, em 1776). Instruído no Yale College em idade ainda precoce, Edwards se destacou ao ler avidamente os grandes luminares de seus dias — John Locke, Isaac Newton, George Berkeley, dentre outros —, e ao escrever perspicazmente sobre filosofia, física e biologia, sempre com uma visão de mundo permeada por Deus. As obras teológicas escritas nos últimos anos de sua vida (*Liberdade da vontade*, *Pecador original*, *A natureza da virtude*) revelam ainda mais sua forte formação filosófica, seu admirável conhecimento teológico e sua exata percepção das tendências intelectuais de seu tempo.

Todo esse brilhantismo veio aliado a uma vida notoriamente piedosa. Para Edwards, a razão e o aprendizado andam de mãos dadas com o coração e as afeições. Educado em uma família herdeira do puritanismo inglês, Edwards desenvolveu na juventude a prática de passear nos bosques para meditar, e nele foi despertado "um doce senso da gloriosa majestade e da graça de Cristo", como ele mesmo descreve em sua *Narrativa pessoal*. Suas setenta resoluções de vida, escritas antes de completar vinte anos de idade, refletem uma maturidade cristã e um foco de vida centrado em Deus que impressionam. Como pastor, foi figura central no maior avivamento do século 18, o Primeiro Grande Despertamento, tornando-se conhecido pelo famoso sermão "Pecadores nas mãos de um Deus irado" e por obras como o clássico *Afeições religiosas*.

Creio que o livro que você tem em mãos é um bom exemplo de uma mente capacitada a serviço da piedade. Junto com outro tratado (*A natureza da verdadeira virtude*), esta obra foi publicada postumamente sob o título *Duas dissertações* (1765). Ambas visavam solapar os fundamentos do pensamento moderno (deísmo), que se distanciava de uma cosmovisão cristã. A primeira das dissertações, *O fim para o qual Deus criou o mundo*, foi uma resposta ao pensamento vigente de um Criador separado da criação, de uma natureza com funcionamento perfeito e interligado, mas à parte de seu Agricultor. Edwards provê uma visão de mundo centrada em Deus. Contra filósofos morais que falavam da divindade como um governador benevolente cujo interesse último era maximizar a felicidade humana,[3] Edwards propõe que a finalidade última de Deus ao criar o mundo foi demonstrar às criaturas a beleza de sua perfeição e deleitar-se nela. Em outras palavras, se os eticistas contemporâneos de Edwards queriam resolver o problema do mal apresentando o caráter de um Deus que criou um universo que maximizaria a felicidade humana, Edwards inverteu os processos dizendo que, em vez de olhar primeiro para os interesses humanos, eles deveriam olhar para os interesses de Deus.[4] A tese da obra, portanto, é que o próprio Deus é a razão última pela qual o mundo foi criado, e que a felicidade humana é decorrente dessa razão última ser cumprida, entendida e reverenciada.

Para provar essa tese, Edwards se propõe extrair argumentos primeiro da razão e depois das Escrituras, o que equivale às duas seções da obra. Para a maioria dos teólogos evangélicos, essa ordem de argumentação estaria invertida. Edwards entende que essa discussão deve "se guiar principalmente pela revelação divina". No entanto, a presença da razão junto à revelação indica, primeiramente, uma tendência de ver a razão como fonte subordinada, mas válida para se extrair argumentos teológicos. Em segundo lugar, a ordem de primeiro suscitar o que a razão pode nos ensinar é justificada pelo próprio Edwards como um projeto de se contrapor ao uso que os críticos iluministas faziam da razão.

Para Edwards, portanto, é razoável que Deus se deleite na expressão de suas perfeições e que tal deleite seja tanto a causa que o inclina a difundir suas perfeições quanto sua resposta à emanação de sua glória. Se alguém objetar dizendo que a

[3] George Marsden, *Jonathan Edwards: A Life* (New Haven: Yale University Press, 2003), p. 460.

[4] Idem, p. 462.

linguagem de um estado mais completo é inconsistente com a absoluta independência e imutabilidade de Deus, Edwards responde racionalmente dizendo que o prazer que o completa não é o que ele recebe de suas criaturas que o glorificam, mas o prazer de comunicar a eles sua própria glória. A criação em si não é o que o satisfaz, mas o que ela revela sobre Deus é o que lhe agrada. Conclui-se, portanto, que Deus não depende de qualquer outro ser além de si mesmo, e não muda porque sempre se deleita em si.

Talvez alguém objete dizendo que essa motivação para criar é egoísta. Edwards responde que o egoísmo só acontece quando o interesse pessoal surge em detrimento do interesse público. No entanto, quando o Supremo Ser se interessa por sua glória, a fonte de todo bem, ele está manifestando um interesse que coaduna com o interesse público. Ainda que seja indevido à humanidade ser motivada a fazer algo por amor-próprio, o amor que Deus tem por sua glória não é impróprio porque é amor por aquilo que é infinitamente bom e benevolente. Esse é o tipo de argumento racional que Edwards apresenta na primeira seção do livro.

Na segunda e maior seção, que trata do ensino bíblico, ele explora os vários versículos da Bíblia que discutem que o fim da criação é a glória de Deus. Essa não é a "glória interna" inerente à excelência de Deus, mas a "glória externa" que expressa a emanação da glória interna ao mundo criado.[5] Essa linguagem neoplatônica de "emanação" é vista por alguns analistas como panenteísmo, quase beirando um panteísmo,[6] embora haja estudiosos que rebatam destacando uma distinção em Edwards

[5] Luiz Roberto França de Mattos, *Jonathan Edwards e o Avivamento Brasileiro* (São Paulo: Cultura Cristã, 2006), p. 141.

[6] Uma breve discussão sobre o assunto aparece em John W. Cooper, *Panentheism: The Other God of the Philosophers—From Plato to the Present* (Grand Rapids: Baker, 2006), p. 74-77.

muito clara entre Deus e o mundo.[7] Para o nosso interesse, basta que entendamos que Edwards quis expressar o deleite do próprio Senhor em intencionalmente comunicar sua glória às suas criaturas. Em outras palavras, a criação não brotou de Deus por natureza, mas segundo o seu querer (o "beneplácito de sua vontade", Ef 1.5).

Ainda que este livro não seja uma das obras mais conhecidas de Edwards, ela já foi destrinchada ao público brasileiro e merece ser mais estudada em nosso próprio idioma.[8] A presente tradução visa promover uma visão grandiosa e gloriosa de Deus mediante a pena de um dos maiores pensadores cristãos do século 18. Que esta leitura o ajude a perceber como todas as coisas provêm de Deus, são realizadas por intermédio dele e acontecem para ele (Rm 11.36).

HEBER CARLOS DE CAMPOS JÚNIOR
Coordenador do Centro Jonathan Edwards — Brasil

[7] E. Brooks HOLIFIELD, "Edwards as Theologian" em *The Cambridge Companion to Jonathan Edwards*, org. Stephen J. Stein (Cambridge: Cambridge, 2007), p. 148.

[8] Para análises dessa obra em português, veja MATTOS, *Jonathan Edwards e o Avivamento Brasileiro*, p. 134-141; PIPER, *A Paixão de Deus por sua Glória*, p. 17-98.

Introdução:
explicação de termos e posições gerais

Para evitar qualquer confusão em nossa investigação sobre o fim para o qual Deus criou o mundo, é preciso fazer uma distinção entre o fim principal, visado pelo agente de qualquer trabalho, e o fim supremo. Essas duas qualificações nem sempre têm precisamente o mesmo significado, e embora o fim principal seja sempre um fim supremo, acontece que nem sempre todo fim supremo é um fim principal. Um fim principal se opõe a um fim inferior; um fim supremo se opõe a um fim subordinado.

Um fim subordinado é aquilo que um agente visa, não de modo algum por si só, mas totalmente por causa de um fim ulterior, em relação ao qual o fim subordinado é considerado um meio. Assim, quando um homem empreende uma viagem para conseguir um remédio com o intuito de recuperar sua saúde, a obtenção desse remédio é seu fim subordinado, porque não se trata de um fim que ele preza de modo absoluto por si só, mas totalmente como um meio de um fim ulterior, isto é, sua saúde. Separe-se o remédio desse fim ulterior, e ele simplesmente deixa de ser desejado.

Um fim supremo é aquilo que o agente, em seu proceder, busca por si só; aquilo que ele ama, aprecia e lhe dá prazer pelo que é, e não simplesmente por ser um meio para um fim ulterior. Como, por exemplo, quando alguém gosta do sabor de determinado tipo de fruta e se sacrifica e paga o preço exigido para obtê-la por causa do prazer que ele aprecia por si só, por valorizar seu próprio prazer, e não meramente por causa de qualquer outro bem, que ele imagina ser um meio para seu desfrute daquele prazer.

Alguns fins são subordinados, não apenas por se subordinarem a um fim supremo, mas subordinados também a um outro fim que em si mesmo é apenas subordinado. De fato, pode haver uma sucessão ou cadeia de muitos fins subordinados, um dependendo do outro, cada um buscado em função do outro, antes de se chegar a qualquer coisa que o agente intente ou busque por si só. Por exemplo, quando um homem vende uma peça de roupa para conseguir dinheiro, para comprar ferramentas, para cultivar sua terra, para conseguir alimento, para satisfazer seu apetite. E ele procura satisfazer seu apetite por si só, como algo que é agradável em si mesmo. Nesse caso, a venda de sua peça de roupa para conseguir dinheiro é apenas um fim subordinado, que não está apenas subordinado a um fim supremo — satisfazer seu apetite —, mas subordinado a um fim mais imediato: comprar ferramentas agrícolas; e essa obtenção de ferramentas é apenas um fim subordinado por destinar-se ao cultivo da terra. E o cultivo da terra não é um fim buscado por si só, mas por causa da futura colheita; e a colheita produzida é um fim buscado visando a panificação; e o pão é buscado por satisfazer o apetite.

Aqui, a satisfação do apetite é chamada de fim supremo, pois ela é o último elo da corrente no qual o objetivo do sujeito repousa, obtendo finalmente o que foi almejado. Assim, sempre que um ser humano consegue aquilo em que seu desejo termina e repousa, isso constituindo algo apreciado por si só, então ele atinge um fim supremo, podendo a cadeia ser mais comprida ou mais curta; assim é, mesmo que haja apenas um elo ou um passo a mais para ele atingir esse fim. Como acontece quando alguém que gosta de mel leva o mel à boca por causa do prazer do sabor, sem visar nada mais que isso. Desse modo, o fim que um agente tem em vista pode ser seu fim imediato ou seu fim supremo, seu fim seguinte ou seu fim derradeiro. O fim que é buscado por si só e não por causa de um fim ulterior é um fim supremo; nele o objetivo do agente se detém e repousa.

Uma coisa buscada pode ter a natureza de um fim supremo e também a de um fim subordinado, pois ela pode ser buscada em parte por si só e em parte por causa de um fim ulterior. Assim, por exemplo, um homem pode buscar em suas ações o amor e o respeito de determinada pessoa, em parte só por isso mesmo, pois é em si mesmo agradável para os homens ser objeto de amor e estima de outrem; e em parte porque ele espera, mediante a amizade daquela pessoa, obter sua ajuda em outras atividades e, assim, ficar numa posição vantajosa para conseguir outros fins.

Um fim principal, que se opõe a um fim inferior, é algo diverso de um fim supremo; é muito valorizado e, portanto, muito visado pelo agente em sua atividade. É óbvio que ser um fim mais valorizado que outro não é exatamente a mesma coisa que ser um fim valorizado de modo supremo, ou seja, por si só. Isso ficará claro se considerarmos que:

1 Dois fins diferentes podem ser ambos supremos sem ser, contudo, fins principais. Ambos podem ser valorizados por si sós, e ambos podem ser visados na mesma atividade ou nos mesmos atos; e, no entanto, um pode ser mais valorizado e mais buscado que o outro. Assim, por exemplo, um homem pode empreender uma viagem para obter dois benefícios ou prazeres diferentes, podendo ambos, considerados em si mesmos, lhe agradar; e, no entanto, um pode ser mais agradável que o outro e ser, desse modo, a principal preferência do seu coração. Assim, também, um homem pode empreender uma viagem em parte para conseguir para si uma noiva que lhe é muito cara e dela desfrutar, e em parte para satisfazer sua curiosidade de usar um telescópio ou alguma extraordinária lente óptica recém-inventada, sem que um fim seja propriamente subordinado ao outro; e, portanto, ambos podem ser fins supremos. Todavia, conseguir sua amada noiva pode ser seu fim principal, e o benefício da lente óptica, seu fim secundário.

2 Um fim supremo não é sempre o fim principal, porque alguns fins subordinados podem ser mais valorizados e buscados que alguns fins supremos. Assim, por exemplo, um homem pode visar dois objetivos em sua jornada: um, visitar seus amigos, e outro, receber uma considerável soma de dinheiro. O segundo pode constituir um fim subordinado; talvez ele não valorize a prata e o ouro por si mesmos, mas apenas pelo prazer, pela gratificação e pela honra que lhe proporcionam; o dinheiro é valorizado apenas como um meio visando outro fim. No entanto, a obtenção do dinheiro pode ser mais valorizada e assim tornar-se um fim maior de sua viagem do que o prazer de ver seus amigos, embora esse prazer seja valorizado por si só, sendo assim um fim supremo.

Mas aqui há vários aspectos dignos de nota:

Em primeiro lugar, quando se diz que alguns fins subordinados podem ser mais valorizados que alguns fins supremos, não se supõe que sempre um fim subordinado seja mais valorizado que aquele ao qual ele se subordina. Por esse motivo ele se denomina fim subordinado: por ser valorizado e buscado não por si mesmo, mas apenas por estar subordinado a um fim ulterior. No entanto, um fim subordinado pode ser mais valorizado que algum outro fim ao qual ele não se subordine. Imagine-se, por exemplo, que um homem empreende uma viagem para receber uma soma de dinheiro, unicamente pelo prazer e pela honra que o dinheiro pode lhe proporcionar. Nesse caso, é impossível que o fim subordinado, isto é, sua posse do dinheiro, deva ser mais valorizado por ele que o prazer e a honra pelos quais ele o valoriza. Seria absurdo supor que ele valoriza os meios mais que o fim, quando ele não atribui nenhum valor aos meios, a não ser por causa do fim que eles implicam. Mesmo assim, ele pode valorizar o dinheiro, apesar de ser apenas um fim subordinado, mais que valoriza algum outro fim supremo ao qual o dinheiro não esteja subordinado e com o qual não tenha nenhuma ligação. Por exemplo, mais que o conforto de uma visita a alguns amigos, o que era um fim supremo de sua jornada.

Em segundo lugar, o fim supremo é sempre superior ao seu fim subordinado, e mais valorizado pelo agente, a não ser quando o fim supremo depende totalmente do subordinado. Se não houver nenhum outro meio para conseguir seu fim derradeiro, então o subordinado pode ser tão valorizado quanto o derradeiro; pois o fim derradeiro, nesse caso, é total e certamente propiciado pelo fim subordinado. Isso acontece, por exemplo, no caso de uma mulher grávida que tenha o estranho desejo de comer determinada fruta rara que só se pode obter no pomar de determinada amiga que mora longe dela, e ela empreende uma viagem para a casa ou para o pomar da amiga a fim de consegui-la. Nesse caso, o fim supremo de sua jornada é satisfazer aquele ardente desejo; a obtenção daquela fruta é o fim subordinado. Se ela analisar o fato de que o desejo não pode ser satisfeito de nenhum outro modo que não seja a obtenção daquela fruta, e que ele certamente será satisfeito se ela a obtiver, então a fruta será tão valorizada por ela quanto a satisfação do seu desejo.

Mas, de outro modo, isso não se dará. Se ela se sentir em dúvida, não sabendo se aquela fruta satisfará seu ardente desejo, então ela não atribuirá à fruta o mesmo valor que atribui à satisfação do seu desejo em si. Ou, se existir alguma outra fruta do conhecimento dela capaz de satisfazer seu desejo, pelo menos em parte, que ela possa obter sem enfrentar uma dificuldade tal que equivalha à satisfação do seu desejo — ou se seu desejo não puder ser satisfeito sem essa fruta, tampouco apenas com ela, sem alguns outros ingredientes para acompanhá-la —, então sua valorização do fim derradeiro se dividirá entre esses vários ingredientes, vistos como fins subordinados, e nenhum deles será tão valorizado sozinho como o fim derradeiro. Consequentemente, poucas vezes acontece que a um fim subordinado se atribua o mesmo valor que é atribuído a um fim derradeiro, porque a obtenção do fim derradeiro raramente depende de um único meio, não composto e infalivelmente a ele vinculado. Portanto, os fins derradeiros dos seres humanos são geralmente seus fins mais elevados.

Em terceiro lugar, se um ser qualquer tem apenas um fim supremo em todas as suas atividades, e uma grande variedade de operações acontece, seu fim derradeiro pode justificadamente ser visto como seu fim supremo. Pois, nesse caso, todos os outros fins, exceto o derradeiro, visam aquele fim; e, consequentemente, nenhum outro fim pode ser superior a ele. Isso porque, como já se observou antes, um fim subordinado nunca é mais valorizado que o fim a que se subordina. Além do mais, os efeitos ou eventos subordinados causados como meios para esse fim, todos juntos contribuindo para o alcance do único fim derradeiro, são muito diferentes; e, portanto, pelo que se pôde observar, o fim supremo de todos deve ser valorizado mais que qualquer um dos meios particulares. Esse parece ser o caso em relação às obras de Deus, como se poderá constatar de modo mais completo em seguida.

Em quarto lugar, qualquer coisa que um agente tenha em vista em seu agir, que lhe agrade em si mesma, e não apenas por causa de alguma outra coisa, é vista pelo agente como seu fim derradeiro. O mesmo se pode dizer sobre evitar aquilo que é penoso ou desagradável em si mesmo; pois o evitar do que é desagradável é agradável. Isso se torna evidente para qualquer pessoa que tenha em mente o significado dos termos: por fim derradeiro se entende aquilo que é considerado e buscado por um agente como agradável ou desejável por si só; por fim subordinado, aquilo que é buscado apenas por causa de algum outro motivo.

Em quinto lugar, disso se deduzirá que, se um agente visar mais coisas que serão causadas pelo que ele fizer, coisas de que ele gosta e que lhe dão prazer por si mesmas, então deve haver em suas ações mais objetivos além daquele que ele considera como seu fim derradeiro. Mas, se houver apenas uma coisa que o agente busque por si mesma, então só pode haver apenas um fim derradeiro visado por ele em suas ações e atividades. Aqui, porém, é preciso fazer uma distinção em relação a coisas que se podem considerar agradáveis para um agente, quando enfocadas em si mesmas: (1) o que é agradável para um agente e valorizado por si só, considerado de modo simples e absoluto, anterior a todas as condições e independente delas, ou de qualquer suposição de casos e circunstâncias particulares; e (2) o que se pode afirmar que é em si mesmo agradável para um agente, de modo hipotético ou de modo consequencial; ou na suposição dessas ou daquelas circunstâncias, ou na eventualidade de determinado caso particular.

Assim, por exemplo, um homem pode desde sua origem gostar de conviver com outras pessoas. Uma inclinação à convivência pode fazer parte de sua natureza, e a convivência pode ser do agrado dele anteriormente a todos os casos e circunstâncias pressupostos, e isso pode motivá-lo a buscar uma família. O conforto da convivência pode ser originalmente seu fim derradeiro na busca de uma família. Mas depois que ele tem uma família, talvez a paz, a harmonia e a mútua justiça e amizade em sua casa possam ser realidades do seu agrado, que lhe dão prazer por si mesmas; e, portanto, essas realidades podem constituir seu fim derradeiro em muitas de suas atividades praticadas no comando e direção de sua família. Mas não eram seu fim original com respeito à sua família. A justiça e a paz de uma família não constituíram propriamente seu derradeiro fim antes de ele ter sua família; isso o induziu a buscar uma família, mas apenas de modo consequencial. E, dado o caso concreto de ele ter uma família, então esses fatores em que consistem a harmonia e beleza de uma família se tornam seu fim derradeiro em muitas coisas que ele faz nessas circunstâncias.

De modo semelhante, devemos supor que Deus, antes de criar o mundo, tinha em vista algum bem, que seria a consequência da existência do mundo, e que na origem era do seu agrado visto em si mesmo; isso o levou a dar existência ao universo, da maneira como ele o criou. Mas depois que o mundo foi criado, e diversas criaturas inteligentes de fato passaram a existir, em diversas circunstâncias, então um regulamento sábio e justo para elas, considerado em si mesmo, foi do agrado de

Deus. E o amor de Deus pela justiça e sua aversão pela injustiça seriam suficientes nesse caso para induzir Deus a tratar suas criaturas de modo justo e a impedir da parte dele qualquer injustiça para com elas. Não há, porém, nenhuma necessidade de supor que o amor de Deus por agir com justiça em relação a seres inteligentes, e a aversão dele pelo contrário disso, tenha sido o que originalmente induziu Deus a criar o mundo e a fazer seres inteligentes, e assim propiciar a ocasião de agir de modo justo ou injusto. A justiça da natureza de Deus torna agradável um regulamento justo, e o contrário desagradável, conforme a ocasião; o sujeito sendo suposto, e a ocasião, dada. Mas precisamos supor mais alguma coisa que deveria incliná-lo a criar os sujeitos, ou a determinar a ocasião.

Assim, aquela perfeição de Deus que chamamos de sua fidelidade, ou sua inclinação a cumprir suas promessas para com suas criaturas, não poderia propriamente ser o que o motivou a criar o mundo; nem poderia esse cumprimento de suas promessas para com suas criaturas ser seu fim derradeiro ao dar-lhes existência. No entanto, após o mundo ser criado, após criaturas inteligentes serem formadas e Deus ter-se empenhado com promessas feitas a elas, então essa disposição, que chamamos de sua fidelidade, pode incliná-lo para elas nas disposições de suas providências; e esse pode ser o fim de muitas das obras da providência divina, exatamente o exercício de sua fidelidade no cumprimento de suas promessas, e pode ser num sentido inferior seu fim derradeiro; pois deve-se supor que a fidelidade e a verdade sejam em si mesmas o que é do agrado de Deus e o que lhe dá prazer por si só. Assim, para determinadas obras de sua providência Deus pode ter fins que, num sentido inferior, são supremos, fins que não eram fins supremos da criação.

Desse modo, temos dois tipos de fins supremos: um deles pode ser chamado original e independente, e o outro, consequencial e dependente; pois está claro que os do segundo tipo têm realmente a natureza de fins supremos. Isso porque, embora o fato de eles serem do agrado do agente seja uma consequência de sua existência, todavia, o sujeito e a ocasião sendo supostos, eles são agradáveis e amáveis em si mesmos. Nós podemos supor que, para um Ser justo, o ato de fazer justiça entre duas partes com as quais ele se preocupa é agradável em si mesmo, e não simplesmente por causa de algum outro fim. E, no entanto, podemos supor que um desejo de fazer justiça entre duas partes pode ser consequencial em relação à existência dessas partes e à ocasião dada. Pode-se observar que, quando menciono o fim supremo de Deus na criação do mundo, no discurso que vem em seguida, eu geralmente me refiro com isso ao sentido mais elevado, isto é, o de fim supremo original.

Em sexto lugar, pode-se além disso observar que o fim supremo original da criação do mundo é unicamente o que induz Deus a ocasionar fins consequenciais, mediante a primeira criação do mundo e a disposição original dela. E, quanto mais original for o fim, tanto mais abrangente e universal ele será. Aquilo que Deus tinha primeiramente em vista na criação e ordenação original do mundo deve ser constantemente levado em conta e exercer influência determinante em todas as obras divinas, ou com respeito a todas as coisas que Deus faz para com suas criaturas.

Assim, em sétimo lugar, se usarmos a expressão fim supremo nesse sentido mais elevado, então o mesmo que constitui o fim supremo de Deus na criação do mundo, se supusermos apenas um fim dessa natureza, deve ser aquilo que ele constitui como seu objetivo supremo em todas as obras dele, em todas as coisas que ele faz, seja na criação, seja na providência. Mas devemos supor que, no uso que Deus faz de suas criaturas, ele deve eternamente levar em conta o fim para o qual ele as criou. Mas, se tomarmos o fim supremo no outro sentido menos elevado, Deus pode às vezes levar em conta como fins supremos aquelas coisas, em particular as obras da providência, que não poderiam em nenhum sentido apropriado constituir o fim derradeiro dele na criação do mundo.

Em oitavo lugar, em contrapartida, tudo o que parece ser o fim supremo de Deus, em qualquer sentido, de suas obras da providência em geral, isso deve constituir o fim supremo da obra da criação em si. Pois embora Deus possa agir para um fim que é supremo num sentido menos elevado em algumas de suas obras da providência, que não é o fim supremo da criação do mundo, todavia isso não acontece no que diz respeito às obras da providência em geral; pois as obras divinas da providência em geral são equivalentes ao uso geral para o qual Deus destina o mundo por ele criado. E podemos deduzir o fim geral para o qual Deus planejou o mundo com base no que vemos do uso geral que Deus faz dele. Embora possa haver alguns fins de determinadas obras da providência que não constituíram o fim derradeiro da criação, que são em si mesmos agradáveis a Deus nessas determinadas ocasiões particulares, e como tais são fins derradeiros num sentido menos elevado, contudo isso se dá apenas em certos casos ou em ocasiões particulares. Mas, se eles forem fins derradeiros de procedimentos divinos no uso do mundo em geral, isso mostra que o fato de ele torná-los fins derradeiros não depende de casos e circunstâncias particulares, mas da natureza das coisas em geral, e de seu plano geral na essência e constituição do universo.

Em nono lugar, se houver apenas uma única coisa proveniente da criação do mundo que, originalmente e sem depender de quaisquer supostos eventos futuros, é do agrado de Deus, então pode haver apenas um fim derradeiro da obra de Deus, nesse sentido mais elevado. Mas, se houver várias coisas, propriamente diversas umas das outras, que são de modo absoluto e independente do agrado do Ser Divino, a serem de fato obtidas pela criação do mundo, então houve vários fins supremos da criação naquele sentido mais elevado.

PARTE I

O QUE A RAZÃO ENSINA SOBRE OS MOTIVOS DE DEUS PARA A CRIAÇÃO DO MUNDO

1

Considerações gerais sobre aquilo que a razão dita

Feitas as observações anteriores, a fim de evitar confusão, passo agora a considerar o que se pode e o que não se pode supor como fim supremo de Deus na criação do mundo.

De fato essa questão parece ser propriamente uma questão de revelação divina. Para determinar o que foi planejado na criação da assombrosa construção do universo que contemplamos, convém que prestemos atenção ao que nos disse aquele que foi o Arquiteto e nisso confiemos. Ele é quem mais conhece seu próprio coração e sabe quais foram seus próprios fins e desígnios nas maravilhosas obras por ele criadas. Não se deve supor que a humanidade — que, quando ainda não contava com a revelação, por meio do aperfeiçoamento de sua razão e dos avanços da ciência e filosofia, não conseguiu chegar a nenhuma conclusão fundada sobre quem era o autor do mundo — jamais pudesse chegar a qualquer conclusão segura acerca do fim que o autor se propôs em tão vasta, complexa e maravilhosa obra de suas mãos.

E embora seja verdade que a revelação que Deus fez à humanidade, como uma luz brilhando num ambiente escuro, ensejou um grande aperfeiçoamento das faculdades humanas e ensinou aos homens como usar sua razão, e embora a humanidade agora, mediante o longo e incessante auxílio recebido dessa luz divina, tenha feito grandes conquistas no exercício da razão, mesmo assim eu confesso que determinar a questão do fim derradeiro de Deus na criação do mundo, sem se guiar principalmente pela revelação divina, significaria confiar demais na razão, uma vez que Deus nos deu uma revelação com instruções exatamente sobre esse assunto. Todavia, como objeções foram levantadas, com base nos pretensos ditames da razão, sobretudo contra o que eu acho que as Escrituras verdadeiramente revelaram, eu gostaria, em primeiro lugar, de calmamente considerar em alguns aspectos o que parece racional supor acerca dessa questão, e depois considerar que esclarecimento a revelação divina nos proporciona.

No que diz respeito aos primeiros desses aspectos, penso que as seguintes coisas parecem ser os ditames da razão:

1 Que não seria do agrado da razão nenhuma noção do fim derradeiro de Deus na criação do mundo que implicasse nele qualquer indigência, insuficiência e mutabilidade; ou qualquer dependência do Criador em relação à criatura, para qualquer parte de sua perfeição ou felicidade. Pois é evidente, tanto à luz das Escrituras como da razão, que Deus é glorioso e feliz de modo infinito, eterno, imutável e independente; que ele não pode ser beneficiado por suas criaturas ou receber delas o que quer que seja; ou ser sujeitado por qualquer outro ser a nenhum sofrimento ou diminuição de sua glória e ventura. A noção de Deus criar o mundo a fim de receber qualquer coisa particularmente das suas criaturas não somente vai contra a natureza de Deus, mas também é inconsistente com a noção de criação, que implica um ser recebendo sua existência, e tudo o que a ela pertence, a partir do nada. E isso implica a mais perfeita, absoluta e universal derivação e dependência. Ora, se a criatura recebe TUDO de Deus, de modo total e perfeito, como é possível que ela possa ter algo a acrescentar a Deus, para de algum modo torná-lo maior do que era antes, e assim o Criador passe a depender da criatura?

2 Tudo o que é bom e valioso em si mesmo merece que Deus o valorize com supremo apreço. Merece, portanto, ser o fim derradeiro de sua operação, se esse fim puder propriamente ser alcançado. Pois é possível supor que algumas coisas, valiosas e excelentes em si mesmas, não podem propriamente ser alcançadas em nenhuma operação divina, porque a existência delas, de todos os modos possíveis, deve ser concebida como anterior a qualquer operação divina. Assim, a existência e a infinita perfeição de Deus, embora infinitamente valiosas em si mesmas, não podem ser supostamente o fim de qualquer operação divina. Isso porque não podemos, de modo algum, concebê-las como consequências de qualquer uma das obras divinas. Mas tudo o que em si mesmo é valioso, de modo absoluto, e pode ser buscado e alcançado, merece ser tomado como o fim derradeiro da operação divina. Portanto:

3 Tudo o que for valioso em si mesmo, e era originalmente valioso, antes da criação do mundo, e que pode ser alcançado pela criação caso haja alguma coisa que já era mais valiosa que todas as outras, isso merece ser o fim derradeiro de Deus na criação, e também é digno de ser seu fim mais elevado. Em decorrência disso resultará:

4 Que se Deus, sob todos os aspectos, for ele mesmo propriamente capaz de ser seu próprio fim na criação do mundo, então é razoável supor que ele respeitou a si mesmo como seu fim derradeiro e mais elevado em sua obra. Todos os outros seres, no que diz respeito a merecimento, importância e excelência, equivalem perfeitamente a nada numa comparação com ele. E, portanto, se Deus respeita os seres de acordo com a natureza e proporção de cada um, ele deve necessariamente ter o máximo respeito por si mesmo. Seria contra a perfeição de sua natureza, sua sabedoria, sua santidade e sua perfeita retidão, por meio das quais ele está disposto a fazer tudo o que é digno de ser feito, supor algo diferente disso. No mínimo, grande parte da retidão moral de Deus, por meio da qual ele está disposto a tudo o que é digno, adequado e amável, consiste no fato de ele ter a mais alta consideração por aquilo que é, em si mesmo, o mais elevado e o melhor. A retidão moral de Deus deve consistir num devido respeito por seres que são objeto de respeito moral, ou seja, seres inteligentes capazes de atos e relações morais.

E, portanto, a retidão moral de Deus deve consistir em prestar o devido respeito àquele Ser ao qual o máximo é devido, pois Deus é infinitamente quem mais merece respeito. A respeitabilidade de outros seres é tida como nada numa comparação com a dele, de modo que a ele cabe todo o respeito possível. A ele cabe todo o respeito de que qualquer ser inteligente é capaz. A ele cabe todo o coração. Portanto, se a retidão moral do coração consiste em prestar o respeito que é devido, ou que a adequação ou propriedade requerem, a adequação exige infinitamente que se preste a Deus o maior respeito, e a negação do supremo respeito nesse caso seria a conduta infinitamente mais inadequada. Donde se concluirá que a retidão moral da disposição, inclinação ou afeição de Deus consiste principalmente num respeito por si mesmo, infinitamente superior a seu respeito por todos os outros seres; em outras palavras, sua santidade consiste nisso.

E, se for assim adequado que Deus tenha uma suprema consideração por si mesmo, então é adequado que essa suprema consideração se manifeste naquelas coisas pelas quais ele se deu a conhecer, ou seja, por suas palavras e obras, isto é, naquilo que ele diz e naquilo que ele faz. Se for infinitamente do agrado de Deus o fato de ele ter uma consideração suprema por si mesmo, então é infinitamente do agrado de Deus o fato de ele atuar demostrando uma consideração principal por si mesmo, ou atuar de modo a mostrar que ele tem uma consideração tal que o que é mais importante no coração de Deus pode ser o grau mais alto em suas ações e conduta. E, se a intenção de Deus foi — e há fortes razões para pensar assim — que suas obras exibissem uma imagem de si mesmo como autor delas, para que nelas vividamente se visse que tipo de ser ele é e isso proporcionasse uma representação adequada de suas excelentes qualidades divinas, especialmente sua excelência moral, que consiste na disposição do seu coração, então é razoável supor que suas obras são feitas para mostrar esse supremo respeito por si mesmo, no qual a essência moral de Deus primeiramente consiste.

Quando consideramos o que seria mais adequado Deus respeitar acima de tudo, no que se refere à universalidade das coisas, pode nos ser útil, a fim de julgar com mais facilidade e satisfação, considerar o que supostamente seria determinado por algum terceiro ser dotado de perfeita sabedoria e retidão e que fosse perfeitamente indiferente e desinteressado; ou então supor que uma justiça e retidão infinitamente sábias fossem uma ilustre pessoa desinteressada, cuja ocupação consistisse em determinar como as coisas devem ser ordenadas do modo mais adequado em toda a esfera da existência, inclusive reis e súditos, Deus e suas criaturas; e, com base numa visão do todo, decidir que consideração deveria prevalecer em todos os julgamentos. Ora, esse juiz, no ajuste das medidas apropriadas e dos tipos de consideração, pesaria tudo numa balança precisa, procurando que uma parte maior do todo fosse mais respeitada do que uma parte menor, proporcionalmente (em igualdade de condições) à medida de existência. De modo que o grau de consideração deveria sempre consistir numa proporção de excelência ou estar de acordo com o grau de grandeza e bondade consideradas conjuntamente.

Esse árbitro, ao considerar o sistema de seres inteligentes criados em si mesmo, determinaria que o sistema em geral, consistindo em muitos milhões, era mais importante e merecia uma consideração maior que um único indivíduo. Isso porque, por mais dignos de consideração que alguns indivíduos possam ser, nenhum supera os outros a ponto de contrabalançar todo o sistema. E, se esse juiz considerar não apenas o sistema de seres criados, mas o sistema dos seres em geral, incluindo a soma total da existência universal, tanto o Criador quanto a criatura, ainda assim cada parte deve ser considerada de acordo com sua importância, ou seja, na medida de sua existência e excelência.

Portanto, para determinar que proporção de consideração deve ser atribuída ao Criador e a todas as suas criaturas tomadas em conjunto, ele e elas devem ser, por assim dizer, colocados na balança. O Ser Supremo, com tudo o que há nele de grandeza e excelência, deve ser comparado com tudo o que há em toda a criação, e na medida em que se descobre que ele tudo excede em peso, nessa mesma proporção ele deve receber um grau maior de consideração. E nesse caso, como todo o sistema de seres criados, numa comparação com o Criador, seria percebido como um leve pó depositado na balança, ou até mesmo como vaidade e nada, assim também o árbitro deveria determinar de forma correspondente no que diz respeito ao grau em que Deus deve ser considerado por toda a inteligência existente, em todas as ações e julgamentos, determinações e efeitos de qualquer natureza, quer se trate de criar, preservar, usar, dispor, mudar ou destruir. E, como o Criador é infinito e a ele cabe toda possível existência, perfeição e excelência, ele deve receber toda a consideração possível. Como ele é de todas as formas o primeiro e supremo, e como sua excelência é, sob todos os aspectos, a suprema beleza e glória, o bem original e a fonte de todo bem, por isso mesmo a ele cabe, sob todos os aspectos, a suprema consideração. E como ele é Deus acima de tudo, a quem todo mundo está devidamente subordinado e de quem tudo depende, digno de reinar como suprema Cabeça, com domínio absoluto e universal, por isso mesmo é adequado que ele seja assim considerado por todos e em todos os julgamentos e efeitos abrangendo todo o sistema. A universalidade dos seres, em toda a sua abrangência e em todos os grupos, deve voltar os olhos para ele de tal modo que o respeito por ele reine sobre todos os respeitos por outros seres, e a consideração pelas criaturas seja, universalmente, subordinada e sujeita.

Quando falo da consideração que deve ser ajustada no sistema universal, refiro-me à consideração pela soma total: toda inteligência existente, criada e não criada. Pois é apropriado que a consideração do Criador seja proporcional à dignidade dos objetos, bem como a consideração das criaturas. Assim, temos de concluir que esse árbitro imaginário determinaria que todo o universo, em todas as suas ações, seus julgamentos, sua transformação e a série inteira de acontecimentos, procederia considerando Deus como o fim supremo e derradeiro; que cada roda, em todas as suas rotações, se moveria com uma constante e invariável consideração por ele como fim supremo de tudo; e isso de modo tão perfeito e uniforme como se todo o sistema fosse animado e conduzido por uma única alma comum. Ou, como se esse árbitro tal qual o imaginei, dotado de perfeita sabedoria e retidão, se tornasse a alma comum do universo e agisse e o governasse em todos os seus movimentos.

Assim tratei da suposição de uma terceira pessoa desinteressada. O que supus é impossível; mas o caso é, contudo, exatamente esse no que se refere ao que é mais adequado e conveniente em si mesmo. Pois é absolutamente apropriado que Deus atue de acordo com a máxima adequação, e ele sabe o que constitui a máxima adequação, exatamente como se a retidão perfeita fosse uma pessoa distinta que o orientasse. O próprio Deus é dotado daquele perfeito discernimento e retidão que foram imaginados. Cabe a ele como árbitro supremo e à sua infinita sabedoria e retidão determinar todas as regras e medidas dos julgamentos. E, vendo que esses atributos de Deus são infinitos e absolutamente perfeitos, eles são igualmente adequados para ordenar e dispor, porque estão nele, que é um ser que se preocupa, e não uma terceira pessoa desinteressada. Pois ser parte interessada desqualifica o árbitro ou juiz, da mesma forma que o interesse tende a corromper seu julgamento ou incliná-lo a agir contra o seu parecer. Mas que Deus incorra nesse duplo risco vai contra a suposição da perfeição absoluta de seu ser. E como deve existir algum juiz supremo da adequação e propriedade da universalidade das coisas, caso contrário não haveria ordem alguma, cabe logicamente a Deus, a quem tudo pertence, que é perfeitamente capaz para esse ofício, e só ele é assim, determinar tudo segundo a mais perfeita conveniência e retidão, exatamente como caberia à perfeita retidão se ela fosse uma pessoa distinta. Podemos, portanto, ter certeza de que é isso que acontece e acontecerá.

Suponho que isso possa nos levar a supor que Deus não se esqueceu de si mesmo nos fins que ele intentou na criação do mundo, mas que ele determinou esses fins (embora autossuficientes, imutáveis e independentes) para mostrar neles de maneira evidente uma suprema consideração por si mesmo. Se isso é possível ou não, se Deus agiu assim ou não, deve ser ponderado mais adiante, como também deverão ser ponderadas as possíveis objeções a essa visão da realidade.

5 Tudo o que é bom, amável e valioso em si mesmo, de modo absoluto e original (fatos e casos que mostram que Deus os visou na criação do mundo), deve hipoteticamente ser tido como considerado ou visado por Deus de forma suprema, ou como um fim supremo da criação. Pois devemos supor, com base na natureza perfeita de Deus, que tudo o que é valioso e amável em si mesmo, considerado de modo simples e absoluto, Deus o aprecia simplesmente por si mesmo; pois o julgamento e a avaliação de Deus estão de acordo com a verdade. Mas, se Deus valorizar um ser simples e absolutamente pelo que ele é, então esse ser é o objeto supremo do valor de Deus. Pois supor que ele o valorize apenas visando algum fim ulterior vai diretamente contra a presente suposição, segundo a qual ele valoriza esse ser de modo absoluto e por si mesmo. Daí decorre com absoluta clareza que, se aquilo que Deus aprecia por si mesmo parece, de fato e na experiência, ser o que ele busca por meio de qualquer coisa que faz, ele deve considerar aquilo como um fim supremo. E, portanto, se ele o buscar na criação do mundo, ou em qualquer parte do mundo, aquilo é um fim supremo da obra da criação. Tendo chegado a este ponto, podemos dar um passo adiante e afirmar:

6 Qualquer coisa que seja de fato resultante da criação do mundo e que seja simples e absolutamente valiosa em si mesma, essa coisa é um fim supremo visado por Deus ao criar o mundo. Vemos que isso é um bem que Deus visou na criação do mundo pelo fato de ele o ter conseguido por esse meio. Pois podemos corretamente inferir o que Deus pretende pelo que ele de fato faz, uma vez que ele nada faz inadvertidamente ou sem um plano. Mas qualquer coisa que, pelo valor dela, Deus pretende conseguir em suas ações e obras, ele a busca naquelas ações e obras. Isso porque um agente pretender conseguir algo que valoriza com os meios que ele usa significa o mesmo que buscar aquilo com aqueles meios. E isso significa o mesmo que tornar aqueles meios seu fim. Ora, isso sendo, segundo a suposição feita, o que Deus valoriza de modo supremo, isso é o que deve, consequentemente, segundo a posição anterior, ser visado por Deus como um fim supremo da criação do mundo.

2

Observações adicionais sobre aquilo que a razão nos leva a supor ter sido visado por Deus na criação do mundo

Com base nas últimas observações, a maneira mais adequada de prosseguir parece ser (pois veríamos que luz a razão nos proporciona com respeito ao fim ou fins particulares que Deus tinha em vista de modo supremo na criação do mundo) considerar que coisa ou coisas, simples e originalmente valiosas em si mesmas, são de fato o efeito ou a consequência da criação do mundo. E, sem entrar em nenhuma cansativa investigação metafísica, é disso que passo imediatamente a tratar, pois nisso consiste a adequação ou a amabilidade, submetendo o que digo aos ditames da mente do leitor, numa reflexão serena e tranquila.

1 Parece ser uma coisa em si mesma apropriada e desejável o fato de que os gloriosos atributos de Deus, que consistem numa suficiência para certos atos e efeitos, sejam exercidos na produção de efeitos tais que possam manifestar seu infinito poder, sabedoria, justiça, bondade, etc.

Se o mundo não tivesse sido criado, esses atributos nunca teriam tido nenhuma aplicação. O poder de Deus, que consiste numa suficiência inerente a ele de produzir efeitos magníficos, teria permanecido por todo o sempre latente e inútil em relação a qualquer efeito. A prudência e sabedoria divinas não teriam tido aplicação alguma em nenhum plano inteligente, em nenhum julgamento ou disposição da realidade, porque não haveria nenhum objeto para excogitar ou dispor. O mesmo se poderia observar sobre a justiça, bondade e verdade de Deus.

De fato, Deus poderia saber perfeitamente que ele possuía esses atributos, se eles nunca tivessem sido aplicados ou expressos para qualquer efeito. Mas, nesse caso, se os atributos que consistem numa suficiência para obter efeitos correspondentes são em si mesmos excelentes, igualmente excelentes devem ser as aplicações deles. Se o fato de precisar existir uma suficiência para certo tipo de ação ou operação é algo excelente, a excelência de tal suficiência deve consistir em sua relação com o esse tipo de operação ou efeito. Mas isso não seria possível se a operação em si mesma não fosse excelente. Uma suficiência para qualquer trabalho não é mais valiosa do que a obra em si.[1]

Portanto, uma vez que Deus estima esses atributos como valiosos em si mesmos e neles se deleita, é natural supor que ele se deleite na apropriada aplicação e expressão deles. Pela mesma razão que ele sabiamente estima sua própria sábia suficiência para excogitar e determinar efeitos, ele também estima o sábio planejamento e o pensamento em si mesmos. E, pela mesma razão, como ele se deleita em sua própria propensão a agir de modo justo e a determinar as coisas de acordo com a verdade e a justa proporção, assim também ele se deleita nessa justa propensão em si.

2 Parece ser algo em si mesmo adequado e desejável que as gloriosas perfeições de Deus sejam conhecidas, e as operações e expressões delas sejam vistas por outros seres além dele mesmo.

Se for adequado que o poder, a sabedoria, etc. de Deus sejam aplicados e mostrados em alguns efeitos e não permaneçam latentes, então parece apropriado que essas aplicações apareçam

[1] "O fim da sabedoria", diz o sr. G. Tennent em seu sermão na inauguração da Igreja Presbiteriana de Philadelphia, "é o desígnio; o fim do poder é a ação; o fim da bondade é fazer o bem. Supor que tais perfeições não seriam exercidas seria representá-las como insignificantes. De que proveito seria a sabedoria de Deus, se ela nada tivesse para designar e orientar? Qual o propósito de sua onipotência, se ela nunca tivesse realizado algo? E de que valor seria a sua bondade, se ela nunca tivesse feito bem nenhum?"

e não fiquem totalmente ocultas e desconhecidas. Pois, se assim ficarem, no que se refere ao objetivo mencionado acima, será exatamente como se não existissem. Deus, que conhecia a si mesmo e suas perfeições de modo tão perfeito, fazia uma ideia igualmente perfeita da aplicação e dos efeitos para os quais elas eram suficientes antes e depois de fazer com elas qualquer operação concreta. Se, portanto, for algo valioso e digno de ser desejado que essas gloriosas perfeições sejam mostradas concretamente em seus efeitos correspondentes, então também parece que o conhecimento dessas perfeições e descobertas é valioso considerado absolutamente em si mesmo, e que é desejável que esse conhecimento exista.

É algo infinitamente bom em si mesmo que a glória de Deus seja conhecida por uma gloriosa sociedade de seres criados. E que haja nesses seres um crescente conhecimento de Deus para toda a eternidade é algo digno de ser considerado por ele, a quem compete determinar o que é mais adequado e melhor. Se a existência é mais digna que a deficiência e a não entidade, e se qualquer existência criada é em si mesma digna de ser, então isso se aplica ao conhecimento; e, se se aplica a qualquer conhecimento, então também se aplica ao tipo mais nobre de conhecimento, isto é, o de Deus e sua glória. Esse conhecimento é uma das partes mais sublimes, mais reais e substanciais de toda a existência criada, a mais remota em relação a não entidade e a deficiência.

3 Como é desejável em si mesmo que a glória de Deus seja conhecida, assim também parece igualmente razoável que, quando conhecida, ela seja estimada e desfrutada, de acordo com sua dignidade.

É igualmente justo considerar adequado que no entendimento exista uma ideia correspondente ao glorioso objeto e que na vontade exista um sentimento correspondente. Se a perfeição em si é excelente, o conhecimento dela é excelente, e da mesma forma é excelente a estima e o amor por ela. E, como é adequado que Deus ame e estime sua própria excelência, adequado é também que ele valorize e estime o amor por sua excelência. E, se convém a um ser valorizar grandemente a si mesmo, é adequado que ele ame se tornar valorizado e estimado. Se a ideia da perfeição de Deus no âmbito do entendimento for valiosa, então o amor do coração parecerá mais especialmente valorizado, pois a beleza moral consiste na disposição e no sentimento do coração.

4 Como há uma infinita plenitude de bondade possível em Deus — uma plenitude de toda a perfeição, de toda excelência e beleza e de infinita felicidade —, e como essa plenitude é capaz de comunicação ou emanação e exteriorização, assim parece algo amável e valorizado em si mesmo o fato de que dessa fonte infinita de bem emanem torrentes abundantes.

E, como se trata de algo excelente em si mesmo, da mesma forma uma disposição do Ser Divino visando exatamente isso deve ser vista como uma disposição excelente. Essa emanação do bem é, em certo sentido, uma multiplicação dele. Na medida em que a torrente pode ser vista como algo além da fonte, nessa mesma medida ela pode ser vista como um aumento do bem. E, se a plenitude de bem existente na fonte é em si mesma excelente, então a emanação, que é por assim dizer um aumento, uma repetição ou multiplicação de bem, é igualmente excelente. Assim, é adequado que, dada a existência de uma fonte infinita de luz e conhecimento, que essa luz expanda seu brilho em raios de conhecimento e entendimento comunicados; e, dado que existe uma fonte infinita de santidade, excelência moral e beleza, é adequado que fluindo ela se expanda em santidade comunicada. E que, dado que existe uma plenitude infinita de alegria e felicidade, assim também esses sentimentos devem ter uma emanação e tornar-se uma fonte fluindo em abundantes torrentes, como raios de sol.

Assim, parece razoável supor que foi o fim derradeiro visado por Deus que pudesse haver uma gloriosa e abundante emanação de sua infinita plenitude de bem exteriorizado, ou fora de si mesmo; e que a disposição de se comunicar, ou difundir sua própria PLENITUDE,[2] foi o que o motivou a criar o mundo. Pois uma inclinação em Deus de se comunicar com um objeto parece pressupor a existência do objeto, pelo menos idealmente. Mas a difusiva disposição que estimulou Deus a dar existência às criaturas foi mais exatamente uma disposição comunicativa em geral, ou uma disposição na plenitude da divindade de fluir e difundir-se. Assim, a disposição existente na raiz e no tronco de uma árvore de difundir seiva e vida é sem dúvida o motivo de sua comunicação com seus brotos, folhas e frutos depois que estes passam a existir. Mas uma disposição de comunicar parte de sua vida e seiva a seus frutos não é propriamente a causa de sua produção daqueles frutos, como é sua disposição de difundir sua seiva e vida em geral. Portanto, falando rigorosamente de acordo com a verdade, podemos supor que uma disposição em Deus, tal como uma propriedade natural de sua natureza, de criar uma emanação de sua plenitude infinita foi o que o estimulou a criar o mundo, e assim essa emanação em si foi visada por ele como um fim derradeiro da criação.

[2] Usarei com frequência a expressão "plenitude de Deus" com o sentido e a abrangência de todo o bem que é em Deus natural e moral, quer a excelência, quer a felicidade; em parte porque não conheço expressão melhor para ser usada nesse sentido mais amplo, e em parte porque sou levado a isso por alguns escritores inspirados, sobretudo o apóstolo Paulo, que usava a expressão com esse mesmo significado.

3

Reflexões sobre como Deus manifesta uma suprema e final consideração para consigo mesmo em todas as suas obras

Na última seção, observei alguns fatos que são na realidade a consequência da criação do mundo, fatos que parecem absolutamente valiosos em si mesmos e dignos de serem vistos como o fim derradeiro de Deus em sua obra. Prossigo agora indagando como o fato de Deus transformar coisas dessa natureza em seu fim derradeiro é consistente com o fato de ele transformar a si mesmo em seu fim derradeiro, ou de ele manifestar um respeito supremo para consigo mesmo em seus atos e obras. Pois está de acordo com todos os ditames da razão afirmar que em todos os seus procedimentos ele tenha se colocado na posição mais elevada. Portanto, eu gostaria de mostrar como seu amor infinito por si mesmo e seus deleites com isso naturalmente o levarão a valorizar essas coisas e a deleitar-se nelas; ou melhor, como um valor atribuído a essas coisas está implícito na sua valorização daquela infinita plenitude de bem que existe nele mesmo.

A respeito da primeira das particularidades mencionadas acima — a consideração de Deus pela aplicação daqueles atributos de sua natureza nas operações e efeitos adequados deles, atributos que consistem numa suficiência para essas operações — não é difícil conceber que a consideração de Deus por si mesmo e o valor atribuído a suas próprias perfeições o motivem a valorizar essas aplicações e expressões de suas perfeições, na medida em que a excelência delas consiste na relação que elas mantêm com o seu uso, aplicação e operação. O amor de Deus por si mesmo e seus próprios atributos farão que ele se deleite naquilo que constitui o uso, o fim e a operação desses atributos. Se alguém estima as virtudes de um amigo e nelas se deleita (virtudes como sabedoria, justiça, etc., relacionadas à ação), isso o levará a deleitar-se na aplicação e nos efeitos genuínos dessas virtudes. Assim, se Deus estima suas próprias perfeições e nelas se deleita, ele só pode valorizar as expressões e os efeitos genuínos delas e neles se deleitar. Assim, deleitando-se nas expressões de suas perfeições, ele manifesta um deleite consigo mesmo, e tomando essas expressões de suas próprias perfeições como seu fim, ele faz que seu fim seja ele mesmo.

Com respeito à segunda e à terceira particularidade, a questão não é menos evidente. Pois aquele que ama qualquer ser e está propenso a valorizar grandemente suas virtudes e perfeições e nelas se deleitar deve, com base nessa mesma propensão, comprazer-se grandemente em ver suas excelentes qualidades conhecidas, reconhecidas, apreciadas e louvadas por outros. Quem ama alguma coisa naturalmente gosta de vê-la aprovada e se opõe à desaprovação dela. O mesmo acontece quando alguém gosta das virtudes de um amigo. E isso necessariamente acontece se um ser aprecia suas próprias excelentes qualidades; e é adequado que assim seja, se for adequado que ele goste de si mesmo dessa forma, e que ele aprecie suas próprias valiosas qualidades. Ou seja, é adequado que ele se deleite vendo suas próprias boas qualidades notadas, reconhecidas, estimadas e desfrutadas. Isso está implícito num amor por si mesmo e por suas próprias perfeições; e, tornando isso seu fim, ele faz de si mesmo seu fim.

E, com respeito à quarta e última particularidade, isto é, o fato de Deus estar inclinado a fazer, à sua maneira, uma comunicação abundante e gloriosa emanação daquela infinita plenitude divina que ele possui, como seu próprio conhecimento, excelência e felicidade, se nós ponderarmos a questão a fundo, ficará claro que também nesse caso Deus faz de si mesmo seu fim, no sentido de claramente exibir e testemunhar uma suprema e final consideração por si mesmo.

Meramente por essa disposição de causar uma emanação de sua glória e plenitude — que é anterior à existência de qualquer outro ser e deve ser considerada como a causa motriz de conferir existência a outros seres — não se pode dizer que Deus faz das criaturas seu fim, como ele mesmo é. Pois a criatura por enquanto não é considerada como existente. Essa disposição ou desejo em Deus deve vir antes da existência da criatura, mesmo em presciência. Pois se trata de uma disposição que é a base original até mesmo da futura existência, visada e prevista da criatura. A benevolência de Deus, por respeitar a criatura, pode ser tomada num sentido mais amplo ou mais estrito. Num sentido mais amplo, ela pode significar exatamente aquela boa disposição da natureza dele de comunicar parte de sua própria plenitude em geral, como seu conhecimento, sua santidade e beatitude, e, para tanto, dar existência às criaturas. Podemos chamar isso de benevolência ou amor, porque é a mesma boa disposição que é praticada no amor. Trata-se da própria fonte de onde originalmente procede o amor, no seu sentido mais apropriado, e apresenta a mesma tendência e efeito geral no bem-estar da criatura. Mas por enquanto esse amor não pode ter nenhuma existência criada particular presente ou futura como seu objeto, por anteceder qualquer objeto assim concebido e a própria fonte das futuridades de sua existência. Nem é realmente diverso do amor de Deus por si mesmo, como se verá mais claramente em seguida.

Mas o amor de Deus pode ser tomado num sentido mais estrito, como sendo a mencionada disposição geral de comunicar o bem, visando objetos particulares. O amor, no sentido mais estrito e apropriado, pressupõe a existência do objeto amado, pelo menos na ideia e expectativa, e representado na mente como futuro. Deus não amou os anjos no sentido mais estrito, mas em consequência de sua intenção de criá-los e fazendo assim uma ideia de futuros anjos existentes. Portanto, seu amor por eles não foi propriamente o que o estimulou a planejar a criação deles. O amor ou a benevolência, no sentido estrito, pressupõe um objeto existente, da mesma forma que a compaixão pressupõe um infeliz objeto que está sofrendo.

A propensão de Deus de difundir-se pode ser considerada uma propensão de ver a si mesmo difundido, ou de ver sua própria glória existindo em sua emanação. Um respeito por si mesmo, ou uma propensão infinita à sua glória ou ao seu deleite com ela, é o que faz que ele se incline a torná-la amplamente difundida e a deleitar-se na emanação dela. Assim, a natureza de uma árvore, que a faz criar botões, brotos e galhos e produz folhas e frutos é uma disposição que termina na sua completa identidade. Assim também a disposição do sol de brilhar, ou de abundantemente difundir sua plenitude, seu calor e sua claridade, é apenas uma tendência para seu próprio estado mais glorioso e completo. Assim Deus considera que a comunicação de si mesmo e a emanação de sua glória infinita pertencem à plenitude e completude de si mesmo, como se ele, sem isso, não estivesse em seu estado sumamente glorioso. Assim a igreja de Cristo (para a qual e na qual existem as emanações de sua glória e a comunicação de sua plenitude) é chamada a plenitude de Cristo, como se ele sem ela não estivesse completo; como Adão sem Eva. E a igreja é chamada a glória de Cristo, como "a mulher é a glória do homem", em 1Coríntios 11.7. E em Isaías 46.13: "estabelecerei em Sião o livramento e em Israel a MINHA GLÓRIA".[1]

[1] É muito notável esta passagem de João 12.23-24: "Respondeu-lhes Jesus: É chegada a hora de ser glorificado o Filho do Homem. Em verdade, em verdade vos digo: se o grão de trigo, caindo na terra, não morrer, fica ele só; mas, se morrer, produz muito fruto". Cristo tinha em vista aqui os abençoados frutos de sua morte, na conversão, na salvação e na felicidade eterna daqueles que seriam por ele redimidos. Essa consequência de sua morte ele chama de sua glória, e a obtenção desse fruto ele chama de ser glorificado, assim como o viçoso e belo produto de uma espiga de trigo semeada na terra é a glória dela. Sem isso ele está sozinho, como estava Adão antes que Eva fosse criada. Mas dele, pela sua morte, procede uma gloriosa descendência, na qual são comunicadas sua plenitude e sua glória, assim como de Adão, em seu sono profundo, procede a mulher, uma bela companhia para preencher seu vazio e aliviar sua solidão. Pela morte de Cristo, sua plenitude é abundantemente difundida em muitas correntes e é expressa na beleza e glória da grande multidão de seus descendentes espirituais.

De fato, depois que as criaturas passam a fazer parte do plano da criação, pode-se conceber que Deus foi motivado pela benevolência para com elas; no sentido mais estrito, em seu relacionamento com elas. A aplicação de sua bondade e a gratificação de sua benevolência para com elas pode ser a fonte de todos os procedimentos de Deus através do universo, sendo agora forma preferencial de ele gratificar sua propensão geral de difundir-se a si mesmo. Aqui, a atuação de Deus em favor de si mesmo, ou sua transformação em seu fim derradeiro, e sua atuação em prol das criaturas não devem ser colocadas em oposição; devem antes ser vistas coincidindo uma com a outra e uma implicada na outra. Contudo, Deus deve ser considerado como primeiro e original em sua consideração, e a criatura é o objeto da consideração de Deus, e, por via de consequência e por implicação, como se ela fosse contida em Deus, como será observado mais detalhadamente logo em seguida.

Todavia, o modo como o valor atribuído por Deus às emanações de sua plenitude na obra da criação (e seu deleite nessas emanações) evidencia seu deleite na infinita plenitude do bem em si mesmo, e o modo como, ao fazer tais emanações, ele faz de si mesmo o fim supremo de sua criação, tudo isso ficará absolutamente claro quando examinarmos mais detalhadamente a natureza e as circunstâncias dessas comunicações da plenitude de Deus. Uma parte dessa plenitude divina comunicada é o conhecimento divino. Esse conhecimento comunicado, que se deve supor pertencente ao fim derradeiro de Deus na criação do mundo, é o conhecimento que DELE tem a criatura, pois esse é o fim de todos os outros conhecimentos; e até mesmo a faculdade do entendimento seria inútil sem ele. Esse conhecimento é mais propriamente uma comunicação do infinito conhecimento de Deus, que primeiramente consiste no conhecimento de si mesmo. Deus, fazendo disso seu fim, faz de si mesmo seu fim. O conhecimento na criatura é simplesmente uma conformidade com Deus. É a imagem do próprio conhecimento de si mesmo inerente a Deus. É uma participação nesse conhecimento, embora em grau infinitamente menor, como certos raios do sol transmitidos são parcialmente a luz e a glória do sol em si.

Além disso, a glória de Deus é o objeto desse conhecimento, ou o que se conhece, de modo que Deus é glorificado nele uma vez que nele se vê a excelência divina. Portanto, como Deus valoriza a si mesmo, como ele se deleita em seu próprio conhecimento, ele deve deleitar-se em todas as coisas dessa natureza; como ele se deleita em sua própria luz, ele deve deleitar-se em cada raio dela; e como ele grandemente valoriza sua própria excelência, ele deve sentir-se perfeitamente satisfeito, e assim glorificado, por torná-la visível.

Outra emanação da plenitude divina é a comunicação da virtude e santidade à criatura; essa é uma comunicação da santidade de Deus, para que por meio dela a criatura compartilhe da própria excelência moral de Deus, que vem a ser propriamente a beleza da natureza divina. E, como Deus se deleita em sua própria beleza, ele deve necessariamente deleitar-se na santidade da criatura, pois ela está em conformidade com sua beleza e dela participa exatamente como o brilho de uma joia. Segurada contra os raios do sol, a joia é uma participação ou derivação do brilho do sol, embora em grau imensamente menor. E então se deve considerar em que consiste essa santidade da criatura, a saber, no amor, que é a compreensão de todas as verdadeiras virtudes; e, primeiramente, no amor a Deus, que é praticado numa elevada estima por Deus, admiração por suas perfeições, complacência para com elas e louvor delas. Tudo isso nada mais é que o coração exaltando, magnificando e glorificando a Deus, o que, como já mostrei antes, Deus necessariamente aprova e assim se satisfaz, pois ele ama a si mesmo e valoriza a glória de sua própria natureza.

Outra parte de sua plenitude que Deus nos comunica é sua felicidade. Essa felicidade consiste no desfrute de si mesmo e no consequente regozijo. E o mesmo acontece com a felicidade da criatura. É uma participação do que há em Deus, e Deus e sua glória são a base objetiva disso. A felicidade da criatura consiste no seu rejubilar-se em Deus; por meio disso Deus também é enaltecido e exaltado. O júbilo, ou a exultação do coração na glória de Deus, é um dos componentes do louvor. De modo que Deus é tudo em tudo no que diz respeito a cada parte dessa comunicação da plenitude divina feita para a criatura. O que é comunicado é divino, ou algo de Deus; e cada comunicação tem tal natureza que a criatura a quem ela é feita com isso se conforma com Deus e a ele se une, e isso acontece na medida em que a comunicação é maior ou menor. E a comunicação, por sua própria natureza, não difere em nada daquilo em que consiste a própria honra, exaltação e louvor de Deus.

Deve-se também considerar que o que Deus visou na criação do mundo, como sendo o fim que ele tinha basicamente em vista, foi essa comunicação de si mesmo por ele planejada por toda a eternidade. E, se observarmos com atenção a natureza e as circunstâncias de sua eterna emanação do bem divino, perceberemos claramente COMO, ao fazer disso seu fim, Deus demonstra supremo respeito por si mesmo e faz de si mesmo seu fim.

Há muitas razões para pensar que o que Deus tem em vista, numa comunicação cada vez maior através da eternidade, é um crescente conhecimento de Deus por parte da criatura, para amá-lo e rejubilar-se nele. Deve-se também considerar que, quanto mais essas comunicações divinas aumentam na criatura, tanto mais ela se identifica com Deus; pois, quanto mais ela se une a Deus no amor, tanto mais o coração é atraído para perto dele, e a união com ele torna-se mais forte e mais íntima, e, ao mesmo tempo, a criatura cada vez mais se conforma com Deus. A imagem é cada vez mais perfeita, e assim o bem que existe na criatura se aproxima sempre mais de uma identificação com aquilo que existe em Deus. Assim, na visão de Deus, que desfruta de uma visão panorâmica da crescente união e conformação através da eternidade, deve tratar-se de uma proximidade, conformação e união infinitamente estreitas e perfeitas, que se aproximarão cada vez mais daquela exata e perfeita união existente entre o Pai e o Filho. De modo que, aos olhos de Deus, que enxerga perfeitamente a totalidade das coisas em seu infinito avanço e crescimento, o resultado disso deve ser uma eminente realização do pedido de Cristo em João 17.21,23: "a fim de que todos sejam UM; e como és tu, ó Pai, em mim e eu em ti, também sejam eles em nós. [...] eu neles, e tu em mim, a fim de que sejam aperfeiçoados na UNIDADE".

Nessa visão, essas criaturas eleitas, a serem vistas como o ponto culminante de todo o resto da criação, consideradas em relação à totalidade da eterna duração delas, e como tais tomadas como o fim de Deus, devem ser vistas como formando, por assim dizer, uma unidade com Deus. Elas foram consideradas como trazidas para a casa dele, unificadas com ele, centralizando-se do modo mais perfeito, como se nele fossem assimiladas, de modo que seu respeito por elas finalmente coincide e se torna um e idêntico com seu respeito por si mesmo. O interesse das criaturas é, por assim dizer, o próprio interesse de Deus, proporcionalmente ao grau da relação e união delas com Deus. Assim, o interesse que um homem tem por sua família é visto como sendo igual a seu interesse por si mesmo, devido à relação entre ele e sua família, a correção dele para com ela e a estreita união da família com ele. Mas as criaturas eleitas de Deus, no que se refere à eterna duração delas, são infinitamente mais caras a Deus do que a família é para um homem.

O que acabamos de dizer mostra que, como todas as coisas provêm de Deus, que é a primeira causa e fonte de tudo, assim também todas as coisas tendem para ele e em seu avanço se aproximam cada vez mais dele por toda a eternidade. Isso revela que ele é o primeiro e o derradeiro fim delas.

4

Objeções que se podem levantar contra o caráter razoável do que se disse anteriormente sobre Deus fazer de si mesmo seu fim supremo

Primeira objeção: Alguns podem objetar contra o que foi dito por supor que isso seja inconsistente com a absoluta imutabilidade e independência de Deus; especificamente, como se Deus se sentisse inclinado a uma difusão de sua plenitude e a emanações de sua própria glória, como se isso constituísse seu próprio sumamente glorioso e completo estado.

Pode-se pensar que isso não combina bem com Deus, tendo ele sua própria existência desde toda a eternidade e sendo absolutamente perfeito em si mesmo, possuidor de infinita e independente bondade. E que, em geral, supor que Deus fez de si mesmo seu fim ao criar o mundo parece supor que ele visa algum interesse ou felicidade para si mesmo, o que dificilmente combina com o fato de ele ser perfeita e infinitamente feliz em si mesmo. Se se pudesse supor que Deus precisasse de alguma coisa, ou que a excelência de suas criaturas pudesse incluí-lo, ou que elas pudessem ser vantajosas para ele, então poderia ser adequado supor que Deus fizesse de si mesmo e de seus próprios interesses seu mais elevado e derradeiro fim ao criar o mundo. Mas, sabendo-se que Deus está acima de todas as necessidades e de todas as possibilidades de ser melhor ou mais feliz sob qualquer aspecto, para que finalidade faria Deus de si mesmo seu fim ou buscaria promover a si mesmo de qualquer forma por meio de qualquer uma de suas obras? Como é absurdo supor que Deus faça coisas tão grandiosas visando obter o que ele já possui do modo absolutamente mais perfeito, e isso desde toda a eternidade! Portanto, ele não poderia agora precisar de nada nem supostamente procurar nada. Isso seria absolutamente absurdo.

Primeira resposta à primeira objeção: Muitos alimentam noções erradas sobre a felicidade de Deus, que resulta de sua absoluta autossuficiência, independência e imutabilidade.

Embora seja verdade que a glória e a felicidade de Deus estão nele e dele procedem, são infinitas e nada se pode acrescentar a elas; e são imutáveis, pois no todo e em cada uma das partes ele é perfeitamente independente da criatura. Contudo, disso não decorre, nem isso é verdade, que Deus não tem nenhum real e peculiar deleite, prazer ou felicidade em nenhum de seus atos ou comunicações em relação a suas criaturas ou aos efeitos que produz nelas, ou em nada que ele vê nas competências, disposições, ações e estado das criaturas.

É possível que Deus tenha um prazer ou felicidade real e peculiar ao ver o estado feliz das criaturas. No entanto, isso pode não diferir do seu deleite consigo mesmo, sendo um deleite com sua própria bondade infinita, ou a prática daquela gloriosa tendência de sua natureza a difundir-se e comunicar-se e, assim, satisfazer essa inclinação de seu coração. Não se pode dizer apropriadamente que esse deleite de Deus com a felicidade das criaturas seja algo que ele recebe delas. Trata-se, na verdade, apenas do efeito de sua própria obra nas criaturas e de seu intercâmbio com elas, que são criadas e convidadas a participar de sua plenitude. É como o sol que nada recebe da joia que recebe sua luz e brilha apenas por meio de uma participação no brilho dele.

No que diz respeito à santidade das criaturas, Deus pode ter um peculiar deleite e prazer ao conceder-lhes isso, satisfazendo assim sua propensão a comunicar sua própria excelente plenitude. Deus pode deleitar-se com verdadeiro e grande prazer na contemplação dessa beleza que é uma imagem e uma comunicação de sua própria beleza, uma expressão e manifestação de seu próprio encanto. E, longe de se tratar de um exemplo de sua felicidade não ser inerente a ele e dele não proceder, isso é uma evidência de que ele é feliz em si mesmo e se deleita e se compraz com sua própria beleza. Se ele não sentisse prazer na expressão de sua própria beleza, isso seria mais propriamente uma prova de que ele não se deleita em sua própria beleza, que ele não encontra felicidade e prazer em sua própria beleza e perfeição. De modo que, se nós supomos que Deus tem real prazer e felicidade no sagrado amor e louvor de seus santos, vistos como a imagem e comunicação de sua própria santidade, não se trata propriamente de nenhum prazer distinto daquele que ele tem consigo mesmo, mas é realmente um exemplo dele. E, com respeito a Deus ser glorificado nessas perfeições nas quais consiste sua glória, manifestadas em seus efeitos correspondentes — como sua sabedoria em sábios planos e obras bem feitas, seu poder em grandes efeitos, sua justiça em atos de retidão, sua bondade na comunicação de sua felicidade —, isso não revela que seu prazer não esteja nele mesmo, bem como sua própria glória, mas sim o contrário. Que ele se deleite nas emanações e no esplendor de sua natureza é a necessária consequência de seu deleitar-se na glória dela.

Isso tampouco revela que Deus de algum modo dependa das criaturas para sua felicidade. Embora ele tenha real prazer na santidade e felicidade das criaturas, todavia não se trata propriamente de nenhum prazer que ele recebe das criaturas. Pois essas coisas são o que ele lhes dá, coisas que provêm inteiramente dele. Seu rejubilar-se nisso é mais propriamente um rejubilar-se em seus próprios atos e em sua própria glória neles expressa do que um júbilo derivado das criaturas. O júbilo de Deus não depende de nada além de sua própria atuação, que ele exerce com poder absoluto e independente. E, no entanto, em algum sentido pode-se realmente dizer que o júbilo e o prazer de Deus aumentam por causa da santidade e felicidade de suas criaturas. Pois Deus seria menos feliz se ele fosse menos bondoso, ou se ele não tivesse aquela perfeição natural que consiste numa propensão natural a difundir sua própria plenitude. E ele seria menos feliz se pudesse ser impedido de exercer sua bondade e suas outras perfeições com seus efeitos adequados. Mas ele goza de felicidade completa por ter essas perfeições e por não poder ser impedido de exercê-las e de mostrá-las com seus efeitos adequados. E isso certamente não acontece porque ele é dependente, mas porque é independente de qualquer outro ser que pudesse impedi-lo.

Com base nessa visão, parece que nada do que foi dito destoa minimamente daquelas expressões das Escrituras que anunciam: "Porventura, será o homem de algum proveito a Deus?" (Jó 22.2, etc). Pois essas expressões claramente querem dizer apenas que Deus é absolutamente independente de nós, que por nós mesmos não temos nada, nenhum suprimento do qual possamos retirar algo para dar a Deus, e que nenhuma parte da felicidade dele se origina no ser humano. Com base no que foi dito, parece que o prazer que Deus sente naquelas coisas que foram mencionadas é antes um prazer dele em difundir-se e comunicar-se com as criaturas mais que em receber algo delas. Certamente não constitui nenhuma argumentação sobre a indigência de Deus o fato de ele estar propenso a comunicar sua infinita plenitude. Não constitui nenhuma argumentação sobre o vazio ou deficiência de uma fonte o fato de ela estar propensa a extravasar-se.

Nada proveniente das criaturas altera a felicidade de Deus, como se ela fosse mutável podendo aumentar ou diminuir. Pois embora essas comunicações de Deus — essas práticas, operações, expressões de suas gloriosas perfeições, nas quais Deus se rejubila — se situem no tempo, contudo seu júbilo nelas não tem início nem sofre mudanças. Elas sempre estiveram igualmente presentes na mente divina. Ele as contemplou com igual clareza, certeza e plenitude, sob todos os aspectos, tal como faz agora. Elas sempre estiveram igualmente presentes, uma vez que nele não há variabilidade ou sucessão. Ele sempre as contemplou e delas desfrutou à perfeição em seu próprio independente e imutável poder e vontade.

Segunda resposta à primeira objeção: Se houver alguém que não está satisfeito com a resposta anterior e ainda insiste na objeção, que ele considere se consegue imaginar algum outro esquema para o derradeiro objetivo de Deus na criação do mundo, que não seja algo igualmente obnóxio a essa objeção em sua força plena, se é que ela tem alguma força. Pois, se Deus teve algum fim derradeiro na criação do mundo, então existia algo de certo modo futuro, que ele visou e planejou fazer acontecer por meio da criação do mundo, algo que satisfazia sua propensão ou vontade, que fosse a sua glória, ou a felicidade de suas criaturas, ou qualquer outra coisa. Ora, se existe algo que Deus busca por ser agradável ou aceitável a seus olhos, então ele se sente gratificado ao realizá-lo. Se o fim derradeiro que ele busca na criação do mundo for realmente algo que lhe parece aceitável (como certamente é, se for de fato seu fim e de fato o objetivo de sua vontade), então se trata daquilo que lhe dá um deleite e um prazer real. Mas nesse caso, segundo o argumento da objeção, como pode existir alguma coisa futura a desejar ou buscar para aquele que já é perfeito, eterna e imutavelmente satisfeito em si mesmo? O que pode sobrar para qualquer deleite, ou qualquer satisfação ulterior, daquele cujo eterno e imutável deleite está nele mesmo, constituindo seu próprio completo objeto de gozo? Assim, o autor da objeção será persuadido por sua própria argumentação, qualquer que seja a noção adotada por ele sobre o fim visado por Deus na criação do mundo. Na minha opinião, não lhe sobra nenhuma resposta, a não ser aquela que foi adotada acima.

Diante disso, talvez seja apropriado observar aqui que, seja qual for o fim derradeiro de Deus, ele deve lhe proporcionar um prazer real e adequado. Qualquer que seja o objetivo de sua vontade, ele se sente gratificado. E aquilo ou é gratificante em si mesmo ou lhe agrada em si mesmo por algum outro motivo, e assim constitui seu fim ulterior. Mas o que quer que constitua o fim derradeiro de Deus, isso ele o deseja por si mesmo, como algo que lhe agrada em si mesmo, ou no qual ele sente certo grau de verdadeiro e apropriado prazer. Caso contrário, temos de negar qualquer coisa que corresponda à vontade em Deus no que diz respeito a tudo o que tenha sido causado no tempo, e assim temos de negar que sua obra na criação, ou qualquer obra de sua providência, resulte realmente de um ato de vontade.

Mas nós temos razão para supor que as obras de Deus na criação e determinação do mundo são apropriadamente frutos tanto de sua vontade quanto de seu entendimento. E, se simplesmente existir qualquer coisa que corresponda ao que entendemos como atos da vontade de Deus, então ele não é indiferente a saber se sua vontade será cumprida ou não. E, se ele não é indiferente, então ele de fato sente gratidão e prazer na realização de sua vontade. E, se ele tem real prazer na consecução de seu fim, então a obtenção dele faz parte de sua felicidade, daquilo em que, em qualquer medida, consiste o deleite ou prazer de Deus. Supor que Deus tem prazer nas coisas que foram causadas no tempo, apenas figurativa e metaforicamente, é supor que ele exerce sua vontade em relação a essas coisas e faz delas seu fim apenas metaforicamente.

Terceira resposta à primeira objeção: A doutrina segundo a qual as criaturas de Deus, e não ele mesmo, são o fim derradeiro de Deus é uma doutrina que se afasta ao extremo de um ponto de vista favorável à absoluta autossuficiência e independência de Deus. Ela concorda muito menos com isso do que a doutrina contra a qual se levanta essa objeção. Isso porque temos de conceber o agente como dependente do seu fim supremo. Ele depende desse fim em seus desejos, objetivos, ações e buscas, de modo que fracassa em todos os seus desejos, objetivos, ações e buscas caso não consiga alcançar seu fim. Ora, se o próprio Deus for seu fim derradeiro, então, em sua independência, ele não depende de nada a não ser de si mesmo. Se todos os seres são dele e a ele se destinam, e se ele for o primeiro e último, fica demostrado que ele é tudo em tudo. Ele é tudo para si mesmo.

Ele não sai de si mesmo naquilo que busca; pelo contrário, seus desejos e suas buscas, assim como nele se originam, nele também terminam; e ele não depende de ninguém a não ser de si mesmo no início e no fim de qualquer de suas atividades ou operações. Mas se as criaturas, e não ele mesmo, fossem seu fim derradeiro, então, como depende desse fim, ele de algum modo dependeria das criaturas.

Segunda objeção: Alguns podem objetar que supor que Deus faz de si mesmo o fim mais elevado e derradeiro é desonroso para ele, pois isso com efeito pressupõe que Deus faz tudo motivado por um espírito egoísta.

O egoísmo é considerado mesquinho e sórdido nas criaturas, descabido e até odioso num verme nascido do pó como é o ser humano. Deveríamos olhar para o ser humano considerando sua natureza vil e desprezível; um ser que, em tudo o que fizesse, fosse motivado por princípios egoístas e que fizesse de seu interesse privado o objetivo norteador de toda a sua conduta na vida. Nesse caso, como estaríamos longe de poder atribuir qualquer dessas qualidades ao Ser Supremo, o bendito e único Potentado! Será que não nos convém atribuir a ele as mais nobres e generosas disposições e as qualidades que mais se distanciam de tudo o que é privado, mesquinho e sórdido?

Primeira resposta à segunda objeção: Uma objeção como essa só pode originar-se de uma noção muito ignorante e irrefletida do vício do egoísmo e da virtude da generosidade.

Se egoísmo significa uma disposição em qualquer ser a estimar a si mesmo, isso não é mais vicioso ou inapropriado que a noção de que um ser é menos que uma multidão, e assim o bem-estar público é mais valioso que seu interesse particular. Entre os seres criados uma pessoa isolada é insignificante em comparação com a maioria, e assim o seu interesse tem pouca importância comparado com o interesse do sistema total. Portanto, no caso da pessoa isolada, uma disposição de preferir a si mesma, como se ela fosse mais que o todo, é extremamente depravada. Mas é depravada por um único motivo: por ser uma disposição que não está de acordo com a natureza das coisas e com aquilo que é de fato o bem supremo. E uma disposição de quem quer que seja a preterir os próprios interesses pessoais em benefício de outros não é mais excelente nem merece mais o nome de generosidade que a atitude de tratar as coisas de acordo com o verdadeiro valor delas, de praticar algo sumamente digno de ser praticado, a expressão de uma disposição a preferir algo em detrimento do interesse pessoal, algo que em si mesmo é de fato preferível.

Mas, se Deus é realmente tão grande e tão excelente que todos os outros seres são como nada para ele, e todo o resto de excelência é como nada, e menos que nada e vaidade, em comparação com a excelência dele, e se Deus é onisciente e infalível, e sabe perfeitamente que é, num grau infinito, o ser mais valioso, então é apropriado que seu coração esteja de acordo com isso; pois se trata de fato da verdadeira natureza e proporção das coisas, e isso está de acordo com sua infalibilidade e o absoluto entendimento e aquela perfeita clarividência que ele tem delas, e que ele se valorize infinitamente mais do que valoriza suas criaturas.

Segunda resposta à segunda objeção: Em seres criados, uma consideração pelo interesse pessoal pode apropriadamente ser vista como opondo-se ao bem-estar público, pois o interesse de uma única pessoa pode ser inconsistente com o bem público; pelo menos isso pode acontecer na visão daquela pessoa.

Aquilo que essa pessoa considera seu interesse pode interferir no bem comum ou opor-se a ele. Mas isso não pode acontecer no que diz respeito ao Ser Supremo, o autor e cabeça de todo o sistema, de quem tudo depende de modo absoluto, que é fonte de existência e de bem para o todo. É mais absurdo supor que o interesse dele se oponha ao interesse do sistema universal do que supor que o bem-estar da cabeça, coração e órgãos vitais do corpo natural se oponham ao bem-estar desse corpo. E é impossível que Deus, um Ser onisciente, perceba seu interesse como algo inconsistente com o bem e o interesse do todo.

Terceira resposta à segunda objeção: O fato de Deus buscar a si mesmo na criação do mundo, da maneira aqui suposta, está muito longe de ser inconsistente com o bem de suas criaturas, pois é uma espécie de consideração dele por si mesmo que o inclina a buscar o bem de suas criaturas.

É uma consideração por si mesmo que o inclina a difundir-se e comunicar-se. É esse deleite em sua própria inerente plenitude e glória que o predispõe a uma abundante difusão e emanação dessa glória. A mesma disposição que o leva a deleitar-se em sua glória faz que ele se deleite nas manifestações, expressões e comunicações dela. Se existisse alguma pessoa que tivesse tal gosto e disposição mental que fizesse o brilho e a luz do sol parecer-lhe desagradável, essa pessoa iria querer que o brilho e a luz do sol ficassem retidos dentro do próprio sol; mas aqueles que se deleitam nesse brilho e luz, aqueles para os quais isso parece agradável e esplêndido irão apreciar como uma coisa amável e esplêndida o fato de ver o brilho e a luz difundidos e comunicados por todo o mundo.

Aqui, a propósito, pode-se apropriadamente indagar se alguns autores não merecem ser acusados de inconsistência nessa questão. Eles se posicionam contra a doutrina de Deus fazer de si mesmo seu próprio mais elevado e derradeiro fim, como se isso fosse um vergonhoso egoísmo — quando de fato somente ele é digno de ser tomado como o fim mais elevado por si mesmo e por todos os outros seres, na medida em que ele é infinitamente maior e mais merecedor do que todos os outros —; no entanto, no que diz respeito às criaturas, que são infinitamente menos dignas da suprema e máxima consideração, eles supõem que elas necessariamente, o tempo todo, procuram sua própria felicidade e fazem disso seu fim supremo em tudo, até mesmo em suas mais virtuosas ações; e que esse princípio, regulado pela sabedoria e prudência como caminho que conduz à mais alta e verdadeira felicidade delas, é a base de todas as virtudes e todas as coisas moralmente boas e excelentes presentes nas criaturas.

Terceira objeção: À pressuposição apresentada acima, de que Deus faz de si mesmo seu fim — com o intuito de tornar sua glória e excelentes perfeições conhecidas, amadas e encantadoras para suas criaturas —, pode-se objetar que isso parece indigno de Deus.

Considera-se indigno de um homem verdadeiramente grande ser muito influenciado em sua conduta por um desejo de aplauso popular. A observação e admiração de multidões maravilhadas seriam vistas apenas como um fim inferior a ser visado por um príncipe ou um filósofo em qualquer grande e nobre iniciativa. Muitíssimo mais indigno do grande Deus é realizar suas magníficas obras — como, por exemplo, a criação do vasto universo — movido pelo apreço da atenção e admiração de vermes provenientes do pó, a fim de que os espetáculos de sua magnificência possam ser contemplados por todos e aplaudidos por aqueles que estão infinitamente abaixo dele, mais abaixo do que está a plebe mais desprezível em relação ao maior príncipe ou filósofo.

Essa objeção é ilusória. Tem aparência de argumento, mas ficará patente que nada mais é que uma aparência, se indagarmos:

Primeira resposta à terceira objeção: Se não é digno de Deus considerar e valorizar o que é excelente e precioso em si mesmo, e assim rejubilar-se com a existência disso.

Não parece pairar dúvida alguma de que não poderia haver nenhuma existência futura digna de ser desejada e buscada por Deus, e tão digna de ser feita seu fim, se nenhuma futura existência fosse valiosa e digna de ser levada a efeito. Se, quando o mundo não existia, havia alguma coisa futura possível digna e valiosa em si mesma, penso eu que essa coisa deve ter sido o conhecimento da glória de Deus, e a estima e o amor por ela. O entendimento e a vontade são as mais altas espécies de existência criada. E, se elas são valiosas, isso se deve constatar na sua prática. Mas a mais alta e mais excelente espécie de sua prática consiste em algum conhecimento real e na prática da vontade. E com certeza o mais excelente conhecimento e a mais excelente vontade que pode existir nas criaturas são o conhecimento e o amor de Deus. E o mais excelente e verdadeiro conhecimento de Deus é o conhecimento de sua glória ou excelência moral, e o mais excelente exercício da vontade consiste em estima e amor e um deleite com sua glória. Se alguma existência criada é em si mesma digna de existir, ou se alguma coisa que alguma vez foi futura é digna de existência, essa comunicação de plenitude divina, essa emanação e expressão da glória divina é digna de existência. Mas, se nada que alguma vez foi futuro foi digno de existir, então nenhuma coisa futura foi digna de ser visada por Deus na criação do mundo. E, se nada foi digno de ser visado na criação, então nada foi digno de ser o fim de Deus na criação.

Se a própria excelência e glória de Deus são dignas de serem altamente apreciadas por ele, que nelas se rejubila, então a valorização e a estima delas por outros é digna da consideração dele, pois se trata de uma consequência lógica. Para tornar isso evidente, consideremos o que acontece no que concerne às excelentes qualidades de outras pessoas. Se nós apreciamos grandemente as virtudes e excelências de um amigo, na mesma proporção aprovaremos a estima e desaprovaremos o desprezo de outros por elas. Se essas virtudes são realmente valiosas, elas merecem que aprovemos a estima e desaprovemos o desprezo que outros alimentam por elas. E o mesmo se aplica no que concerne a qualidades e atributos de qualquer ser. Se ele as tem em grande estima e nelas se rejubila, é natural e lógico que goste de vê-las estimadas por outras pessoas e deteste vê-las desprezadas. E, se os atributos forem dignos de ser grandemente estimados pelo ser que os detém, assim também a estima que outros têm por eles é proporcionalmente digna de aprovação e consideração. Eu gostaria que se considerasse se é inadequado que Deus se sinta ofendido pelo desprezo de si mesmo. Se não é, se pelo contrário é adequado e justo que ele se sinta ofendido com isso, então, pelo mesmo motivo, ele deveria sentir-se satisfeito com os adequados sentimentos de amor, estima e honra para com ele.

Esse assunto também pode ser esclarecido considerando-se o que nos conviria aprovar e valorizar no que diz respeito a qualquer sociedade pública a que pertencemos, como, por exemplo, nossa nação ou país. Convém-nos amar nosso país e, portanto, convém-nos valorizar a justa honra de nosso país. Mas o mesmo que convém valorizar e desejar a um amigo e o mesmo que convém desejar e buscar para a comunidade, o mesmo também convém a Deus valorizar e buscar para si mesmo; isto é, supostamente, convém a Deus amar a si mesmo como convém aos homens amar um amigo ou o público, o que considero já ter sido provado.

Aqui há duas coisas que devem receber particular atenção: (1) Que em Deus o amor de si mesmo e o amor dos outros não devem ser separados, como acontece com os seres humanos, pois o ser de Deus, por assim dizer, tudo abrange. Sua existência, sendo infinita, deve ser equivalente à existência universal. E, pelo mesmo motivo que a afeição pública nas criaturas é adequada e bela, a consideração de Deus por si mesmo também deve ser assim. (2) Em Deus, o amor do que é adequado e decoroso não pode ser algo distinto do amor de si mesmo, pois o amor de Deus é aquilo em que primeira e principalmente está toda santidade, e a própria santidade de Deus deve primeiramente consistir no amor de si mesmo. E, se a santidade de Deus consiste no amor de si mesmo, então isso implicará uma aprovação da estima e amor dos outros por ele. Pois um ser que ama a si mesmo necessariamente ama o amor atribuído a si mesmo. Se a santidade em Deus consiste sobretudo no amor de si mesmo, a santidade nas criaturas deve consistir sobretudo no amor por ele. E, se Deus ama a santidade em si mesmo, ele deve amá-la nas criaturas.

A virtude, segundo esses filósofos recentes que parecem gozar da mais alta reputação, consiste na afeição pública, ou seja, na benevolência geral. E, se a essência da virtude reside primeiramente nisso, então o amor pela virtude em si é virtuoso só porque ele está implícito nessa afeição pública ou deriva dessa abrangente benevolência da mente. Isso porque, se alguém ama sinceramente o público, ele necessariamente ama o amor pelo público. Ora, pela mesma razão, se a benevolência geral no sentido mais alto se identifica com a benevolência para com o Ser Divino, que é efetivamente um Ser universal, isso significará que o amor pela virtude em si é virtuoso simplesmente por estar implícito no amor pelo Ser Divino ou por derivar dele. Consequentemente, o próprio amor de Deus pela virtude está implícito no seu amor de si mesmo, e é virtuoso simplesmente porque se origina do amor de si mesmo. De modo que essa virtuosa disposição de Deus, que na criatura se manifesta no amor pela santidade, deve resolver-se numa identificação com o amor de si mesmo. E, consequentemente, em tudo o que ele faz da virtude seu fim, ele também faz de si mesmo seu fim. Em suma, sendo Deus, por assim dizer, um Ser pan-abrangente, todas as suas perfeições morais — sua santidade, justiça, graça e benevolência — devem de algum modo resolver-se numa suprema e infinita consideração por si mesmo; e, sendo assim, será fácil supor que convém a ele fazer de si mesmo seu supremo e derradeiro fim em todas as suas obras.

Aqui, a propósito, eu observaria que se alguém insistir que convém a Deus amar a virtude de suas criaturas em si mesma e nela rejubilar-se, a tal ponto de não a amar pela consideração que ele tem por si mesmo, isso significará contradizer uma objeção anterior contra Deus rejubilar-se nas comunicações de si mesmo; portanto, na medida em que ele é perfeitamente independente e autossuficiente, toda a sua felicidade e todo o seu prazer consistem no gozo de si mesmo. Desse modo, se as mesmas pessoas levantam as duas objeções, elas devem ser incoerentes consigo mesmas.

Segunda resposta à terceira objeção: Eu gostaria de observar que não é indigno de Deus rejubilar-se naquilo que em si mesmo é adequado e amável, mesmo tratando-se daquelas criaturas que estão infinitamente abaixo dele. Se isso envolver uma graça e condescendência infinita, mesmo assim não são coisas indignas de Deus; pelo contrário, elas se somam a sua infinita honra e glória.

Aqueles que insistem que o fim supremo da criação do mundo não foi a própria glória de Deus, mas a felicidade de suas criaturas, fazem isso sob o pretexto de exaltar a grande benevolência de Deus para com suas criaturas. Mas, se seu amor por elas é tão grande e se ele as valoriza tanto a ponto de considerá-las dignas de serem seu fim em todas as suas grandes obras, segundo eles supõem, então eles não são coerentes consigo mesmos em sua suposição de que Deus atribui tão pouco valor ao amor e estima delas. Pois como a natureza do amor, especialmente do grande amor, leva quem ama a valorizar a estima da pessoa amada, assim também o fato de Deus comprazer-se no justo amor e estima das criaturas é uma consequência do seu amor tanto por si mesmo quanto por suas criaturas. Se ele se ama e estima a si mesmo, ele deve aprovar a estima e o amor de si mesmo e desaprovar o contrário. E, se ama e valoriza as criaturas, ele deve valorizar e deleitar-se no mútuo amor e estima delas.

Terceira resposta à terceira objeção: Quanto à alegação de que é indigno dos grandes homens se deixarem governar em sua conduta e realizações por um sentimento de respeito ao aplauso da populaça, eu observaria o seguinte: o que torna esse aplauso merecedor de tão minguado respeito é a ignorância, a leviandade e a injustiça. O aplauso da multidão muitas vezes não se funda em nenhuma visão justa das coisas, mas sim no capricho, no engano, na insensatez e em sentimentos desmedidos. Mas não é indigno de um homem sumamente digno e sábio valorizar a sábia e justa estima de outros, por muito inferiores que sejam. O contrário, em vez de ser uma expressão de grandeza de inteligência, revelaria um espírito arrogante e mesquinho. É essa espécie de estima em suas criaturas que Deus considera, pois essa estima é simplesmente adequada e amável em si mesma.

Quarta objeção: Supor que Deus faz de si mesmo seu fim supremo na criação do mundo subtrai sua liberdade e bondade em relação a suas criaturas, e também anula as obrigações de gratidão da parte delas em relação ao bem que lhes foi transmitido. Pois se Deus, na comunicação de sua plenitude, faz a si mesmo, e não a suas criaturas, seu fim, então ele pratica o bem em benefício de si mesmo e não em benefício delas; por amor de si mesmo e não delas.

Resposta à quarta objeção: Deus e as criaturas, na emanação da plenitude divina, não estão propriamente sendo colocados em oposição, ou tomados como partes opostas de uma disjunção exclusiva.

E a glória de Deus e o bem da criatura não deveriam ser vistos como se fossem própria e inteiramente distintos, na objeção. Isso supõe que o fato de Deus respeitar sua própria glória e o fato de comunicar o bem a suas criaturas são coisas totalmente diferentes; que a comunicação de sua plenitude em benefício de si mesmo e sua ação em benefício das criaturas são coisas que se situam numa adequada oposição e disjunção. Ao passo que, se tivéssemos a capacidade de visões perfeitas de Deus e das coisas divinas, que estão muito acima de nós, provavelmente ficaria patente que a questão é muito diversa, e que essas coisas, em vez de parecerem totalmente distintas, estão implícitas uma na outra. Procurando sua glória, Deus busca o bem de suas criaturas, porque a emanação de sua glória (que ele busca e na qual se deleita, como se deleita em si mesmo e em sua própria glória eterna) implica a excelência e felicidade comunicadas a suas criaturas. E, comunicando sua plenitude em benefício delas, ele o faz em prol de si mesmo, porque o bem delas, que ele busca, está intimamente unificado e em comunhão consigo mesmo. Deus é o bem delas. A excelência e felicidade delas não é nada, a não ser a emanação e expressão da glória de Deus. Na busca da glória e felicidade delas, Deus busca a si mesmo, e buscando a si mesmo, isto é, a si mesmo difuso e expresso (aquilo no qual ele se deleita como se deleita em sua própria beleza e plenitude), ele busca a glória e a felicidade delas.

Isso se tornará evidente se considerarmos o grau e o modo em que ele visou a excelência e felicidade das criaturas ao criar o mundo, isto é, durante a totalidade de sua planejada eterna duração, numa sempre maior aproximação e exatidão de união consigo mesmo, em sua própria glória e felicidade, em constante progresso, através de toda a eternidade. Como o bem das criaturas foi visualizado, quando Deus criou o mundo, em relação a toda a sua duração e eternamente progressiva união e comunhão com ele, assim devem ser visualizadas as criaturas numa união infinitamente íntima com ele. Nessa visão se percebe que o respeito de Deus pelas criaturas, na sua totalidade, se une a sua consideração por si mesmo. Esses dois respeitos são como duas linhas que no início parecem separadas, mas no fim se encontram e unificam, ambas dirigindo-se ao mesmo centro. E quanto ao bem das criaturas em si, em sua total duração e infinita progressão, ele deve ser visto como infinito e se aproximando cada vez mais da mesma coisa em sua infinita plenitude. Quanto mais alguma coisa se aproxima do infinito, tanto mais ela se aproxima de uma identidade com Deus. E se algum bem, na visão de Deus, for considerado infinito, ele não pode ser visto como algo distinto da própria glória infinita de Deus.

O discurso do apóstolo em Efésios 5.25-30 sobre o grande amor de Cristo pelos seres humanos nos leva a pensar no amor de Cristo por sua igreja como sendo idêntico ao seu amor por si mesmo, em virtude da íntima união da igreja com ele: "Maridos, amai vossa mulher, como também Cristo amou a igreja e a si mesmo se entregou por ela, [...] para a apresentar a si mesmo igreja gloriosa [...]. Assim também os maridos devem amar a sua mulher como ao próprio corpo. Quem ama a esposa a si mesmo se ama. Porque ninguém jamais odiou a própria carne; antes, a alimenta e cuida dela, como também Cristo o faz com a igreja; porque somos membros do seu corpo". Ora, eu entendo que na disposição de Deus de comunicar sua plenitude às criaturas nada consta que de algum modo deponha contra a excelência dessa plenitude ou a obrigação das criaturas.

A disposição de Deus de expandir sua própria infinita plenitude é, não obstante, apropriadamente chamada sua bondade, porque o bem que ele comunica é aquilo em ele se rejubila, uma vez que ele se rejubila em sua própria glória. A criatura não se beneficia menos por isso, tampouco essa disposição reduz uma tendência direta a beneficiar as criaturas. E essa disposição de Deus de derramar sua própria bondade não é menos excelente por estar implícita em seu amor por si mesmo. Pois seu amor por si mesmo não implica nada diferente de um amor por tudo o que é digno e excelente. A emanação da glória de Deus é em si mesma digna e excelente, e assim Deus nela se rejubila; e essa rejubilação está implícita em seu amor por sua própria plenitude, que é a fonte, a totalidade e amplitude de todas as coisas que são excelentes. De modo algum a propensão de Deus a comunicar bondade movido pelo respeito por si mesmo ou pelo rejúbilo em sua própria glória diminui a liberdade de sua beneficência. Isso ficará claro se considerarmos particularmente de que maneiras fazer o bem aos outros por amor de si mesmo pode ser inconsistente com a liberdade da beneficência. E a meu ver só existem estas duas maneiras:

1 Quando alguém faz o bem a outros por um amor-próprio limitado, o que se opõe a uma benevolência geral. Esse tipo de amor-próprio é corretamente chamado egoísmo. Em certo sentido, a pessoa mais benevolente e generosa do mundo busca sua própria felicidade ao fazer o bem a outros, porque ela situa a sua felicidade no bem deles. Sua mente é tão ampliada a ponto de incluí-los, por assim dizer, em si mesma. Assim, quando eles são felizes, ela sente a felicidade deles; ela compartilha com eles e se sente feliz na felicidade deles. Isso está tão longe de ser incoerente com a liberdade da beneficência que, pelo contrário, a livre benevolência e bondade consistem nisso. A mais livre beneficência que pode existir em seres humanos é praticar o bem, não por causa de um egoísmo limitado, mas por causa de uma disposição à beneficência geral, ou um amor à existência geral.

Mas acontece que, no que diz respeito ao Ser Divino, não existe nele nada parecido com o limitado egoísmo, ou um amor por si mesmo que se oponha à benevolência geral. Isso é impossível, porque ele, em sua própria essência, contém toda a existência e toda a excelência. O Ser eterno e infinito é, com efeito, o ser em geral e abrange a universalidade da existência. Deus, em sua benevolência para com suas criaturas, não pode ter o coração ampliado de modo a incluir seres situados originalmente fora dele, distintos e independentes. Isso não pode existir em um Ser infinito, que existe sozinho desde a eternidade. Mas ele, por sua bondade, por assim dizer amplia a si mesmo de um modo mais excelente e divino. Isso acontece por meio da comunicação e propagação de si mesmo. Com isso, em vez de descobrir ele cria objetos de sua benevolência, não se apropriando de algo que ele descobre distinto de si mesmo e assim compartilhando o bem deles e tornando-se feliz neles, mas sim derramando-se e expressando-se neles e levando-os a compartilhá-lo, e depois rejubilando-se a si mesmo, expresso e transferido neles.

2 Outro ponto. Ao fazer o bem a outros por amor-próprio, o que deprecia a liberdade da bondade é agir por causa de uma dependência em relação a eles, visando o bem de que necessitamos ou que desejamos.

Desse modo, em nossa benevolência, não somos motivados por nós mesmos, mas forçados, por assim dizer, por algo fora de nós. Mas já foi minuciosamente demostrado que, fazendo de si mesmo seu próprio fim, Deus não revela nenhuma dependência; pelo contrário, ele é coerente com sua absoluta independência e autossuficiência. E eu observaria aqui que há algo nessa disposição de comunicar bondade que mostra que Deus é independente e motivado por si mesmo de um modo que é peculiar e está acima da beneficência das criaturas. As criaturas, até mesmo as mais excelentes, não são independentes e motivadas por si mesmas em sua bondade; pelo contrário, em todos os atos de bondade são estimuladas por algum objeto que elas descobrem, algo aparentemente bom ou em algum aspecto digno de consideração se apresenta e motiva a bondade delas. Mas Deus, sendo tudo, e só, é absolutamente motivado por si mesmo. Os atos de sua disposição comunicativa derivam absolutamente de dentro dele mesmo; tudo o que é bom e digno no objeto, e seu próprio ser, procedem do extravasamento de sua plenitude.

Essas coisas mostram que a suposição de Deus fazer de si mesmo seu fim derradeiro não diminui em nada a obrigação das criaturas de mostrar gratidão pelas comunicações de bondade recebidas. Pois, se diminui a obrigação delas, isso só pode ser por uma das razões seguintes: ou porque as criaturas não se beneficiam muito com isso; ou porque a disposição da qual a suposição deriva não é propriamente bondosa, não tendo uma propensão muito direta visando o benefício das criaturas; ou porque a disposição não é muito virtuosa ou excelente em sua natureza; ou porque a beneficência não é muito livre. Mas já observamos que nenhuma dessas razões se verifica no que diz respeito àquela disposição, que supostamente estimulou Deus a criar o mundo.

Confesso que há certo grau de confusão e incerteza no rigoroso exame desses assuntos, e uma grande imperfeição nas expressões que usamos a respeito deles, o que surge inevitavelmente da infinita sublimidade do assunto e da incompreensibilidade dessas coisas que são divinas. Consequentemente, a revelação é o guia mais seguro nessas questões, e o que ela ensina será ponderado no próximo ponto. Contudo, os esforços feitos para descobrir qual é a voz da razão, até onde ela consegue chegar, podem servir para preparar o caminho, prevenindo sofismas insistentemente defendidos por muitos, e para nos convencer de que aquilo que a Palavra de Deus nos diz sobre a questão não é irracional.

PARTE II

O que nos ensinam as Sagradas Escrituras sobre o fim derradeiro de Deus na criação do mundo

5

As Escrituras descrevem Deus fazendo de si mesmo seu próprio e derradeiro fim na criação do mundo

É evidente que as Escrituras falam, sempre que uma ocasião se apresenta, pressupondo que Deus fez de si mesmo seu fim em todas as suas obras, e pressupondo que o mesmo ser, que é a primeira causa de todas as coisas, foi também o fim supremo e derradeiro de todas elas. Lemos em Isaías 44.6: "Assim diz o Senhor, Rei de Israel, seu Redentor, o Senhor dos Exércitos: Eu sou o primeiro e eu sou o último, e além de mim não há Deus". E em 48.12: "sou o primeiro e também o último". Em Apocalipse 1.8: "Eu sou o Alfa e Ômega, diz o Senhor Deus, aquele que é, que era e que há de vir, o Todo-Poderoso". Em 1.11: "Eu sou o Alfa e o Ômega". Em 1.17: "Eu sou o primeiro e o último". Em 21.6: "Disse-me ainda: Tudo está feito. Eu sou o Alfa e o Ômega, o Princípio e o Fim". Em 22.13: "Eu sou o Alfa e o Ômega, o Primeiro e o Último, o Princípio e o Fim".

Quando Deus é tão frequentemente mencionado como o último e como o primeiro, fica implícito que, sendo ele a primeira causa e fonte eficiente de onde se originam todas as coisas, assim também é a última causa final em vista da qual todas elas são criadas, o termo final para o qual todas se movem em seu fim supremo. Essa parece ser a mais natural significação dessas expressões, e isso é confirmado por outras passagens paralelas, como em Romanos 11.36: "Porque dele, e por meio dele, e para ele são todas as coisas". Em Colossenses 1.16: "pois, nele, foram criadas todas as coisas, nos céus e sobre a terra, as visíveis e as invisíveis, sejam tronos, sejam soberanias, quer principados, quer potestades. Tudo foi criado por meio dele e para ele". Em Hebreus 2.10: "Porque convinha que aquele, por cuja causa e por quem todas as coisas existem [...]". E em Provérbios 16.4 se diz expressamente: "O Senhor fez todas as coisas para determinados fins".

É notável a forma na qual se diz que Deus é o último, para quem e em prol de quem todas as coisas existem. De modo evidente se faz menção ao fato como algo apropriado e adequado, uma ramificação de sua glória, uma apropriada prerrogativa do grande, infinito e eterno Ser, algo condizente com a dignidade daquele que está acima de todas as coisas, do qual todas as coisas procedem e no qual elas consistem, e em comparação com o qual todas as outras coisas são simplesmente nada.

6

Posições sobre um método justo de argumentar nessa questão, com base no que encontramos nas Sagradas Escrituras

Vimos que as Escrituras falam da criação do mundo apresentando Deus como seu fim. O que, portanto, resta investigar é de que modo as Escrituras representam Deus fazendo de si mesmo seu fim. É evidente que Deus não torna sua existência ou seu ser o fim da criação, coisa que não se pode conceber sem incorrer num enorme absurdo. Não se pode conceber sua existência a não ser como anterior a qualquer plano divino. Portanto, ele não pode criar o mundo visando o fim de ele poder existir, ou poder ter certos atributos e perfeições. Tampouco as Escrituras sugerem algo semelhante. Portanto, que efeito divino, ou o que em relação a Deus nos ensinam as Escrituras ser o fim visado por ele em suas obras de criação, em cujo projeto ele faz de si mesmo seu fim?

Para termos um entendimento correto da doutrina das Escrituras e traçar as inferências exatas do que descobrimos na Palavra de Deus a respeito dessa questão, e assim abrir o caminho para uma verdadeira e definitiva resposta à investigação mencionada acima, eu apresentaria as seguintes posições.

Primeira posição: Aquilo que parece ser o fim supremo de Deus em suas obras de providência em geral podemos justamente supor ser seu fim derradeiro na obra da criação. Isso transparece no que observamos antes, na quinta particularidade da introdução, que não preciso repetir aqui.

Segunda posição: Quando, segundo as Escrituras, algo parece ser o fim derradeiro de algumas das obras de Deus, esse algo parece resultar das obras de Deus em geral. E, embora esse algo não seja mencionado como o fim dessas obras, mas apenas de algumas delas, todavia, como nada parece peculiar em sua natureza que o transforme num resultado adequado, belo e precioso dessas obras em particular, mais que do resto, podemos então acertadamente inferir que esse algo é o fim derradeiro também dessas outras obras. Pois devemos supor que é por causa do valor do efeito que esse algo é expressamente mencionado como sendo o fim dessas obras; e, por suposição, sendo esse efeito igualmente o resultado da obra, e tendo o mesmo valor que ela, é simplesmente justo supor que se trata do fim visado na obra, da qual é naturalmente a consequência, tanto num caso como no outro.

Terceira posição: Sendo que o fim supremo de Deus na criação do mundo é também o fim derradeiro de todas as suas obras de providência, podemos muito bem pressupor que, se houver algo específico citado nas Escrituras mais frequentemente que qualquer outra coisa como sendo o fim supremo de Deus em suas obras de providência, esse algo constitui o fim supremo das obras de Deus em geral e, portanto, da obra da criação.

Quarta posição: Aquilo que se afigura, com base na Palavra de Deus, como o fim supremo em relação ao mundo moral, ou à parte inteligente do sistema, constitui o fim derradeiro de Deus na obra da criação em geral. Pois torna-se evidente, com base na constituição do mundo em si, e também com base na Palavra de Deus, que a parte moral é o fim de todo o resto da criação. A parte inanimada, destituída de inteligência, é criada para o racional, da mesma forma que uma casa é preparada para quem vai habitar nela. E também é evidente, com base na razão e na Palavra de Deus, que a criação de agentes morais se deve a alguma boa qualidade moral presente neles e que o mundo foi criado para eles. Mas é ainda mais evidente que, seja qual for o fim derradeiro dessa parte da criação, que é o fim de todo o resto e para a qual todo o resto do mundo foi criado, esse fim deve ser o fim derradeiro do todo. Se todas as outras partes de um relógio são feitas para os ponteiros dele, a fim de movê-los com precisão, então resultará que o fim derradeiro dos ponteiros é o fim derradeiro de todo o mecanismo do relógio.

Quinta posição: O que se apresenta, com base nas Escrituras, como o fim supremo de Deus e de suas principais obras, nós podemos muito bem tomar como o fim derradeiro de Deus na criação do mundo. Pois, como já observamos, podemos legitimamente inferir o fim de alguma coisa a partir do uso dela. Podemos legitimamente inferir o fim de um relógio, de uma carruagem, de um navio ou de um mecanismo movido a água a partir do uso principal que na prática se faz de cada coisa. Mas a Providência de Deus é o uso que ele fez do mundo. E, se houver qualquer obra da providência que seja evidentemente uma das principais obras de Deus, nela aparece e consiste o principal uso que Deus faz da criação.

Dessas duas últimas posições podemos inferir a posição seguinte.

Sexta posição: O que se mostra, nas Escrituras, como o fim supremo de Deus em suas principais obras da Providência com respeito ao mundo moral, isso é o que devemos justamente tomar como o fim derradeiro da criação do mundo. Pois, como acabamos de observar, o mundo moral é a parte principal da criação e fim do resto, e o derradeiro fim de Deus na criação dessa parte do mundo deve ser seu fim derradeiro na criação do todo. E, segundo a última posição, parece que o fim das principais obras da providência de Deus com respeito aos seres humanos, ou o principal uso que ele fez deles, mostra o fim derradeiro para o qual ele os criou, e consequentemente o fim principal para o qual ele criou o mundo inteiro.

Sétima posição: Aquilo que a revelação divina apresenta como um fim supremo em relação àquela parte do mundo moral que é boa no seu ser e no fato de ser boa, isso nós devemos supor ser o fim derradeiro de Deus na criação do mundo. Pois já se mostrou que o fim derradeiro de Deus na parte moral da criação deve ser o fim do todo. Mas seu fim nessa parte do mundo moral que é boa deve ser o fim derradeiro para o qual ele criou o mundo moral em geral. Pois nisso consiste a excelência de um ser: em sua aptidão a corresponder a seu fim; pelo menos, isso deve ser excelência aos olhos de seu autor. Pois excelência aos olhos dele é correspondência do ser à sua visão mental. Mas uma correspondência com sua visão mental naquilo que ele cria para algum fim ou uso deve ser uma correspondência ou adequação relacionada a esse fim. Pois seu fim nesse caso é sua visão mental, aquilo que ele visa sobretudo nesse ser. E, portanto, são bons agentes morais aqueles que são adequados ao fim para o qual Deus os criou como agentes morais. E, consequentemente, aquilo que constitui o fim principal para o qual bons agentes morais criados, em sendo bons, são adequados, isso constitui o fim principal da parte moral da criação e, consequentemente, da criação em geral.

Oitava posição: Aquilo que a Palavra de Deus exige que a parte inteligente e moral do mundo busque como seu fim supremo e mais elevado, isso nós temos razões para supor ser o fim derradeiro para o qual Deus a criou, e, consequentemente, segundo a quarta posição, o fim derradeiro para o qual Deus criou todo o mundo. Uma diferença fundamental entre as partes inteligentes e morais e o resto do mundo reside nisto: que aquelas têm a capacidade de conhecer seu Criador e o fim para o qual ele as criou, e a capacidade de ativamente concordar com o plano dele ao criá-las, ao passo que as outras criaturas não são capazes de promover o plano da criação delas, a não ser de modo passivo e eventual. E, percebendo-se capazes de conhecer o fim para o qual o autor delas as criou, as criaturas inteligentes têm sem dúvida o dever de submeter-se a ele. A vontade delas deve acatar a vontade do Criador nesse respeito, essencialmente buscando como seu fim derradeiro a mesma vontade visada pelo Criador como o derradeiro fim delas. Essa deve ser a lei da natureza e da razão em relação a elas. E nós devemos supor que a lei revelada de Deus e a lei da natureza estão de acordo, e que a vontade dele, como legislador, deve estar de acordo com a vontade dele como Criador. Portanto, nós justamente inferimos que a mesma coisa que a lei revelada de Deus exige que criaturas inteligentes busquem como seu derradeiro e maior fim, isso Deus seu Criador havia estabelecido como fim derradeiro delas, e portanto como o fim da criação do mundo.

Nona posição: Podemos muito bem supor que aquilo que nas Sagradas Escrituras é exposto como o fim mais sublime da excelência do mundo moral — de modo que o respeito e a relação que a excelência do mundo moral têm com esse fim é o que acima de tudo o torna valioso e desejável — é o fim supremo de Deus na criação do mundo moral; e consequentemente, segundo a quarta posição, na criação de todo o mundo. Pois o fim da excelência de um ser é o fim desse ser.

Décima posição: Aquilo que pessoas descritas na Bíblia como santos reconhecidos e apresentados como exemplos de piedade buscaram como seu fim derradeiro e mais elevado nos seus exemplos de bom e louvado comportamento, isso, temos de supor, foi o que eles deviam buscar como seu fim derradeiro; e consequentemente, segundo a posição anterior, isso se identificava com o fim derradeiro de Deus na criação do mundo.

Undécima posição: Aquilo que pela Palavra de Deus se afigura como esse fim, nos desejos do qual as almas dos melhores e nas melhores formas exercitam sua excelência do modo mais natural e direto, e expressando seu desejo desse fim, nisso elas expressam do modo mais apropriado e direto seu respeito a Deus; isso nós podemos muito bem supor ser o fim principal e supremo de um espírito piedoso e bom, e o principal fim de Deus na criação do mundo moral, e consequentemente do mundo inteiro. Pois, sem dúvida, a tendência mais direta de um espírito de verdadeira excelência, na melhor parte do mundo moral, aponta para o principal fim da excelência, e consequentemente para o principal fim da criação do mundo moral. E de que outra forma pode o espírito do verdadeiro respeito e amizade em relação a Deus se expressar como desejo que não seja desejando o mesmo fim que o próprio Deus deseja acima de tudo e em última instância na criação do mundo moral e de todas as outras coisas?

Duodécima posição: Uma vez que as Sagradas Escrituras nos ensinam que Jesus Cristo é o Chefe do mundo moral, e especialmente de toda a parte boa dele, o mais importante dos servos de Deus, escolhido para ser o Chefe de seus anjos e santos, e apresentado como o mais sublime e mais perfeito padrão e exemplo de excelência, então podemos muito bem supor com base nas posições anteriores que o que Jesus Cristo buscou como seu fim derradeiro foi o fim derradeiro de Deus na criação do mundo.

7

Passagens das Escrituras que mostram que a glória de Deus é um fim supremo da criação

1 O que Deus diz em sua Palavra naturalmente nos leva a supor que a maneira pela qual ele faz de si mesmo o fim de sua obra ou de suas obras, algo que ele realiza por amor próprio, consiste em fazer de sua glória seu fim.

Assim lemos em Isaías 48.11: "Por amor de mim, por amor de mim, é que faço isto; porque como seria profanado o meu nome? A minha glória, não a dou a outrem". Isso equivale a dizer: Eu conseguirei o meu fim, não renunciarem a minha glória, ninguém me tirará esse prêmio. Está muito claro aqui que o nome de Deus e sua glória, que parecem significar a mesma coisa, como se observará mais especificamente em seguida, são mencionados como seu fim derradeiro na grande obra mencionada, e não como um fim inferior, subordinado a interesses de outrem. As palavras são enfáticas. A ênfase e a repetição nos forçam a entender que o que Deus faz é, em última análise, por amor de si mesmo: "Por amor de mim, por amor de mim, é que faço isto".

Assim estas palavras do apóstolo Paulo, em Romanos 11.36, naturalmente nos levam a supor que o modo como todas a coisas existem para Deus é no sentido de serem para sua glória: "Porque dele, e por meio dele, e para ele são todas as coisas. A ele, pois, a glória eternamente. Amém!". No contexto anterior a essa conclusão, o apóstolo observa as maravilhosas disposições da sabedoria divina, fazendo que todas as coisas fossem para ele, em sua resolução e resultado final, assim como são dele, e governadas por ele, no início. Seu discurso mostra como Deus projetou isso e o fez acontecer, mediante o estabelecimento do reino de Cristo no mundo; deixando os judeus e chamando os gentios; incluindo o que ele faria futuramente na recondução dos judeus, com a plenitude dos gentios; com as circunstâncias dessas obras maravilhosas, de modo a mostrar solenemente sua justiça e sua bondade, para magnificar sua graça e manifestar a soberania e generosidade dela, e a absoluta dependência de todos em relação a ele. E depois, nos quatro últimos versículos, ele irrompe numa exclamação emocionante ao extremo, expressando sua grande admiração pela profundidade da sabedoria divina, dizendo: "A ele, pois, a glória eternamente"; o que equivale a dizer que, assim como todas as coisas são tão maravilhosamente ordenadas para a glória dele, assim também a ele seja atribuída toda a glória de tudo, para todo o sempre.

2 A glória de Deus é mencionada nas Sagradas Escrituras como o fim derradeiro para o qual foram criadas todas as partes do mundo moral que são boas.

Assim lemos em Isaías 43.6-7: "Direi ao Norte: entrega! E ao Sul: não retenhas! Trazei meus filhos de longe e minhas filhas, das extremidades da terra, a todos os que são chamados pelo meu nome, e os que criei para minha glória, e que formei, e fiz". E de novo em 60.21: "Todos os do teu povo serão justos, para sempre herdarão a terra; serão renovos por mim plantados, obra das minhas mãos, para que eu seja glorificado". E também em 61.3: "a fim de que se chamem carvalhos de justiça, plantados pelo Senhor para a sua glória".

Vemos nessas passagens que a glória de Deus é mencionada como o fim dos santos de Deus, o fim para o qual ele os cria, isto é, ou lhes concede um ser, ou lhes concede um ser como santos, ou as duas coisas. Afirma-se que Deus os criou e os formou para serem seus filhos e filhas, para sua própria glória: eles são árvores de sua plantação, a obra de suas mãos, como carvalhos de justiça, para que ele possa ser glorificado. Quando ponderamos as palavras, especialmente como elas são tomadas no contexto de cada passagem, parecerá muito natural supor que a glória de Deus é aqui mencionada simplesmente como um fim inferior e subordinado à felicidade do povo de Deus. Mas, pelo contrário, essas palavras parecerão antes promessas de felicidade para o povo de Deus, para que assim Deus seja glorificado.

O mesmo se verifica em Isaías 43, como claramente veremos se lermos o que se diz desde o começo do capítulo, nos versículos 1-7. É tudo uma promessa de uma futura, grande e maravilhosa obra do poder e graça de Deus, livrando seu povo de toda miséria e tornando-o sumamente feliz; e depois se declara que o fim de tudo, ou a essência do plano de Deus em tudo, é a própria glória de Deus: "Eu te remi; chamei-te pelo teu nome, tu és meu. [...] Eu serei contigo. [...] Quando passares pelo fogo, não te queimarás, nem a chama arderá em ti. [...] Visto que foste precioso aos meus olhos, digno de honra, e eu te amei, darei homens por ti e os povos, pela tua vida. Não temas, pois, porque eu sou contigo. [...] Trazei meus filhos de longe e minhas filhas, das extremidades da terra, a todos os que são chamados pelo meu nome, e os que criei para minha glória, e que formei, e fiz".

Assim também se lê em Isaías 60.19-21. Todo o capítulo é feito simplesmente de promessas de futura, excelente felicidade para a igreja de Deus. Mas, para sermos breves, vamos tomar só três versículos: "Nunca mais te servirá o sol para luz do dia, nem com o seu resplendor a lua te alumiará; mas o Senhor será a tua luz perpétua, e o teu Deus a tua glória. Nunca mais se porá o teu sol, nem a tua lua minguará; porque o Senhor será a tua luz perpétua, e os dias do teu luto findarão. Todos os do teu povo serão justos, para sempre herdarão a terra; serão renovos por mim plantados, obra das minhas mãos". E em seguida o fim de tudo é adicionado: "para que eu seja glorificado". Todas as promessas anteriores são claramente mencionadas como partes, ou elementos constituintes, da grande e excelente felicidade do povo de Deus; e a glória de Deus é mencionada como a culminância do seu projeto nessa felicidade.

Algo semelhante se encontra na promessa em Isaías 61.3: "[O Espírito do SENHOR Deus enviou-me] a pôr sobre os que em Sião estão de luto uma coroa em vez de cinzas, óleo de alegria, em vez de pranto, veste de louvor, em vez de espírito angustiado; a fim de que se chamem carvalhos de justiça, plantados pelo SENHOR para a sua glória". A obra de Deus cuja realização foi prometida é claramente uma realização de júbilo, contentamento e felicidade do povo de Deus, em vez de sentimentos de luto e dor; e o fim no qual o projeto de Deus nessa obra é alcançado e consumado é sua glória. Isso prova, de acordo com a sétima posição, que a glória de Deus é o fim da criação.

A mesma coisa se pode deduzir de Jeremias 13.11: "Porque, como o cinto se apega aos lombos do homem, assim eu fiz apegar-se a mim toda a casa de Israel e toda a casa de Judá, diz o SENHOR, para me serem por povo, e nome, e louvor, e glória; mas não deram ouvidos". Isso quer dizer que Deus procurou fazer deles seu próprio povo santo, ou, segundo a expressão do apóstolo, seu povo especial, zeloso em boas obras, para que assim pudessem ser uma glória para ele, como os cintos naquele tempo eram usados como um adereço e objeto de beleza, e como distintivo de dignidade e honra.[1]

Ora, quando Deus fala de si mesmo, como quem está procurando para si um povo santo e especial, para ser sua glória e honra, da mesma forma que um homem procura um ornamento e um distintivo de honra para sua glória, não é natural entender isso meramente como um fim subordinado, como se Deus não tivesse respeito por si mesmo nisso, mas visasse apenas o bem de outrem. Se assim fosse, a comparação não seria natural, pois os homens geralmente costumam buscar sua própria honra e glória quando se adornam e se dignificam com distintivos de honra.

[1] Ver tb. Jr 13.9; Is 3.24; 22.21; 23.10; 2Sm 18.11; Êx 28.8.

A mesma doutrina é aparentemente ensinada em Efésios 1.5-6: "[Deus] nos predestinou para ele, para a adoção de filhos, por meio de Jesus Cristo, segundo o beneplácito de sua vontade, para louvor da glória de sua graça". O mesmo argumento pode ser deduzido de Isaías 44.23: "porque o SENHOR remiu a Jacó e se glorificou em Israel". E de 49.3: "Tu és o meu servo, és Israel, por quem hei de ser glorificado". De João 17.10: "todas as minhas coisas são tuas, e as tuas coisas são minhas; e, neles, eu sou glorificado". De 2Tessalonicenses 1.10: "quando vier para ser glorificado nos seus santos". De 1.11-12: "Por isso, também não cessamos de orar por vós, para que o nosso Deus vos torne dignos da sua vocação e cumpra com poder todo propósito de bondade e obra de fé, a fim de que o nome de nosso Senhor Jesus seja glorificado em vós, e vós, nele, segundo a graça do nosso Deus e do Senhor Jesus Cristo".

3 As Escrituras falam da glória de Deus como seu fim supremo da excelência da parte moral da criação, e é em relação a esse fim que o valor da virtude sobretudo consiste.

Como, por exemplo, em Filipenses 1.10-11: "para aprovardes as coisas excelentes e serdes sinceros e inculpáveis para o Dia de Cristo, cheios do fruto de justiça, o qual é mediante Jesus Cristo, para a glória e louvor de Deus". Aqui o apóstolo mostra como os frutos da justiça presentes neles são valiosos, e como correspondem a seu fim, isto é, sendo "mediante Jesus Cristo, para a glória e louvor de Deus". E lemos em João 15.8: "Nisto é glorificado meu Pai, em que deis muito fruto". Isso quer dizer que é por esse meio que o elevado fim da religião deve ser satisfeito. E em 1Pedro 4.11 o apóstolo orienta os cristãos a adaptar todos os seus atos religiosos visando esse fim: "Se alguém fala, fale de acordo com os oráculos de Deus; se alguém serve, faça-o na força que Deus supre, para que, em todas as coisas, seja Deus glorificado, por meio de Jesus Cristo, a quem pertence a glória e o domínio pelos séculos dos séculos. Amém!".

E, de vez em quando, a adoção e a prática da verdadeira religião, o arrependimento dos pecados e conversão à santidade são representados pela glorificação de Deus, como se essa fosse a essência e o fim de toda a questão. Lemos em Apocalipse 11.13: "e morreram, nesse terremoto, sete mil pessoas, ao passo que as outras ficaram sobremodo aterrorizadas e deram glória ao Deus do céu". E em 14.6-7: "Vi outro anjo voando pelo meio do céu, tendo um evangelho eterno para pregar aos que se assentam sobre a terra, e a cada nação, e tribo, e língua, e povo, dizendo, em grande voz: Temei a Deus e dai-lhe glória". Como se isso constituísse a essência e o fim daquela virtude e religião, que era o sublime projeto de pregar o evangelho em todas as partes do mundo. Em 16.9: "e não se arrependeram para lhe darem glória". Isso equivale a dizer que não abandonaram seus pecados e se converteram à verdadeira religião, para que Deus pudesse receber aquilo que constitui seu fim supremo, na religião que ele exige dos seres humanos. (Conferir, nesse mesmo sentido, Sl 22.22-23; Is 66.19; 24.15; 25.3; Jr 13.15-16; Dn 5.23; Rm 15.5-6.)

E como a prática da verdadeira religião e da virtude entre os cristãos é sumariamente representada pela glorificação de Deus, assim também da mesma forma se representa a boa influência dos cristãos sobre outras pessoas, quando dela se fala. Lemos em Mateus 5.16: "Assim brilhe também a vossa luz diante dos homens, para que vejam as vossas boas obras e glorifiquem a vosso Pai que está nos céus". Em 1Pedro 2.12: "mantendo exemplar o vosso procedimento no meio dos gentios, para que, naquilo que falam contra vós outros como de malfeitores, observando-vos em vossas boas obras, glorifiquem a Deus no dia da visitação".

Que o fim supremo da excelência moral, ou a justiça, corresponde à obtenção da glória de Deus está implícito na objeção que o apóstolo faz ou supõe que outros possam fazer, segundo Romanos 3.7: "E, se por causa da minha mentira, fica em relevo a verdade de Deus para a sua glória, por que sou eu ainda condenado como pecador?". Ou seja, vendo que o fim supremo de minha justiça é condizente com o meu pecado, Deus sendo glorificado, por que meu pecado merece condenação e castigo? E por que o meu vício não equivale à virtude?

E a glória de Deus é mencionada como algo que constitui o valor e o fim de graças específicas. Como a fé, em Romanos 4.20: "[Abraão] não duvidou, por incredulidade, da promessa de Deus; mas, pela fé, se fortaleceu, dando glória a Deus". Em Filipenses 2.11: "e toda língua confesse que Jesus Cristo é Senhor, para glória de Deus Pai". E a graça do arrependimento, em Josué 7.19: "Filho meu, dá glória ao Senhor, Deus de Israel, e a ele rende louvores; e declara-me, agora, o que fizeste; não ocultes". A graça da caridade, em 2Coríntios 8.19: "no desempenho desta graça ministrada por nós, para a glória do próprio Senhor e para mostrar a nossa boa vontade". A graça do agradecimento e louvor, em Lucas 17.18: "Não houve, porventura, quem voltasse para dar glória a Deus, senão este estrangeiro?". Em Salmos 50.23: "O que me oferece sacrifício de ações de graças, esse me glorificará; e ao que prepara o seu caminho, dar-lhe-ei que veja a salvação de Deus". Sobre essa última passagem podemos observar que Deus parece dizer isto a quem supostamente pratica suas cerimônias religiosas: que o fim de toda religião era glorificar a Deus. Eles supunham que faziam isso da melhor maneira oferecendo inúmeros sacrifícios. Mas Deus corrige o erro deles dizendo-lhes que o sublime fim da religião não é alcançado dessa maneira, mas sim mediante a oferta de outros sacrifícios espirituais de louvor e de boa conduta.

Em suma, as palavras do apóstolo em 1Coríntios 6.19-20 merecem atenção particular: "Acaso, não sabeis que o vosso corpo é santuário do Espírito Santo, que está em vós, o qual tendes da parte de Deus, e que não sois de vós mesmos? Porque fostes comprados por preço. Agora, pois, glorificai a Deus no vosso corpo". Aqui não se fala apenas da glorificação de Deus como o que sumariamente abrange o fim da religião, e da redenção que nos foi trazida por Cristo, mas o apóstolo também insiste que, na medida em que já não somos de nós mesmos, não devemos agir como o fôssemos, mas sim como sendo de

Deus; e não devemos usar os membros de nosso corpo, ou as faculdades de nossa alma, para nós mesmos, mas para Deus, de modo a torná-lo nosso fim. E ele enuncia a maneira pela qual devemos fazer de Deus nosso fim, que é fazendo que nosso fim seja a glória dele: "Agora, pois, glorificai a Deus no vosso corpo", e no vosso espírito, que são dele.

Aqui, não se pode falsamente alegar que, embora se exija que os cristãos façam da glória de Deus o fim deles, contudo se trata apenas de um fim subordinado, como que subserviente à própria felicidade deles; pois nesse caso, agindo sobretudo e basicamente em seu benefício próprio, eles estariam fazendo uso de si como se, mais que a Deus, eles pertencessem a si mesmos. Isso vai diretamente contra o propósito da exortação do apóstolo e o argumento que ele está usando, segundo o qual devemos, por assim dizer, nos desfazer de nós mesmos doando-nos a Deus, e fazer uso de nós mesmos como pertencendo a ele e não a nós, agindo por amor de Deus e não por amor de nós mesmos. Desse modo, fica evidente, segundo a nona posição, que a glória de Deus é fim derradeiro para o qual ele criou o mundo.

4 Há algumas coisas na Palavra de Deus que nos levam a supor que ela exige que os homens desejem e busquem a glória de Deus como seu mais elevado e derradeiro fim em tudo o que fazem.

Como se nota especialmente em 1Coríntios 10.31: "Portanto, quer comais, quer bebais, ou façais outra coisa qualquer, fazei tudo para glória de Deus". E em 1Pedro 4.11: "para que, em todas as coisas, seja Deus glorificado". Que seus seguidores desejem e busquem a glória de Deus em primeiro lugar e acima de todas as outras coisas, isso é o que Cristo exige deles, podemos nós argumentar com base naquela oração que ele ensinou a seus discípulos, como o padrão e a regra para a orientação deles em suas orações. O primeiro pedido dela é: "Santificado seja o teu nome", como está expresso em Levítico 10.3, Ezequiel 28.22 e em muitas outras passagens.

Ora, nosso derradeiro e mais elevado fim deve sem dúvida ser o primeiro em nossos desejos e, consequentemente, o primeiro em nossas orações. Portanto, podemos argumentar que, como Cristo nos ensina que a glória de Deus deve vir primeiro em nossas orações, por isso mesmo esse é o nosso derradeiro fim. Isso é corroborado pela conclusão da oração do Senhor em Mateus 6.13: "pois teu é o reino, o poder e a glória para sempre Amém!". Isso, que tem uma ligação direta com o restante da oração, implica que nós desejamos e pedimos todas as coisas mencionadas em cada petição em subordinação e em subserviência ao domínio e à glória de Deus, onde todos os nossos desejos no final das contas terminam, tendo ali seu derradeiro fim. A glória e o domínio de Deus são as duas primeiras coisas mencionadas na oração, e são o tema da primeira parte dela; e são também as duas últimas coisas mencionadas no final dessa mesma oração. A glória de Deus é o Alfa e o Ômega na oração. Com base nessas constatações podemos argumentar, de acordo com a oitava posição, que a glória de Deus é o derradeiro fim da criação.

5 Segundo o relato apresentado nas Escrituras, a glória de Deus parece ser aquele acontecimento em cujos mais fervorosos desejos e no deleite deles a melhor parte do mundo moral em suas melhores disposições mais naturalmente expressa a direta tendência do espírito para a verdadeira excelência, os virtuosos e sinceros sentimentos do coração.

Foi dessa maneira que os santos apóstolos, ocasionalmente, deram vazão a ardentes demonstrações de sua piedade e expressaram seu respeito pelo Ser Supremo. Em Romanos 11.36: "A ele, pois, a glória eternamente. Amém!". E em 16.27: "Ao Deus único e sábio seja dada glória, por meio de Jesus Cristo, pelos séculos dos séculos. Amém!". Em Gálatas 1.4-5: "o qual se entregou a si mesmo pelos nossos pecados, para nos desarraigar deste mundo perverso, segundo a vontade de nosso Deus e Pai, a quem seja a glória pelos séculos dos séculos. Amém!". Em 2Timóteo 4.18: "O Senhor me livrará também de toda obra maligna e me levará salvo para o seu reino celestial. A ele, glória pelos séculos dos séculos. Amém!". Em Efésios 3.21: "A ele seja a glória, na igreja e em Cristo Jesus, por todas as gerações, para todo o sempre. Amém!". Em Hebreus 13.21: "por Jesus Cristo, a quem seja a glória para todo o sempre. Amém!". Em Filipenses 4.20: "Ora, a nosso Deus e Pai seja a glória pelos séculos dos séculos. Amém!". Em 2Pedro 3.18: "A ele seja a glória, tanto agora como no dia eterno". Em Judas 1.25: "Ao único Deus, nosso Salvador, mediante Jesus Cristo, Senhor nosso, glória, majestade, império e soberania, antes de todas as eras, e agora, e por todos os séculos. Amém!". Em Apocalipse 1.5-6: "Àquele que nos ama [...], a ele a glória e o domínio pelos séculos dos séculos. Amém!".

Foi dessa maneira que o santo rei Davi, o encantador salmista de Israel, expressou os ardentes desejos e propensões de seu piedoso coração. Em 1Crônicas 16.28-29: "Tributai ao SENHOR, ó famílias dos povos, tributai ao SENHOR glória e força. Tributai ao SENHOR a glória devida ao seu nome". Essas mesmas expressões ocorrem em Salmos 29.1-2; 69.7-8. (Ver tb. Sl 57.5; 72.18-19; 115.1.) E assim toda a igreja de Deus em todas partes do mundo, como em Isaías 42.10-12.

De modo semelhante os santos e anjos do céu expressam a piedade de seus corações: Apocalipse 4.9-11; 7.12. Esse é o evento que faz exultar o coração dos serafins, como se constata em Isaías 6.2-3: "Serafins estavam por cima dele. [...] E clamavam uns para os outros, dizendo: Santo, santo, santo é o SENHOR dos Exércitos; toda a terra está cheia da sua glória". Assim, quando Cristo nasceu, em Lucas 2.14 se lê: "Glória a Deus nas maiores alturas", etc.

É evidente que esses santos indivíduos na terra e no céu, expressando desse modo seus desejos em relação à glória de Deus, têm respeito por ela, não meramente como um fim subordinado, mas como algo que em si mesmo é precioso no mais alto grau. Seria absurdo dizer que nessas ardentes exclamações eles estão apenas dando vazão a sua veemente benevolência para com suas criaturas coirmãs, e expressando seu sincero desejo de que Deus possa ser glorificado, para que seus súditos possam dessa forma sentir-se felizes. É claro que não é simplesmente o amor que elas têm por si mesmas ou por seus semelhantes que elas expressam como seu exaltado e supremo respeito para com o mais alto e infinitamente glorioso Ser. Quando, reproduzindo a abertura do Salmo 115, a igreja diz: "Não a nós, não a nós, Senhor, mas ao teu nome dá glória", seria absurdo afirmar que ela deseja que apenas a Deus seja atribuída glória, como um meio necessário ou conveniente de sua elevação e felicidade. Com base nessas coisas parece que, segundo a undécima posição, Cristo buscou a glória de Deus como seu mais elevado e derradeiro fim.

6 As Escrituras nos levam a supor que Cristo buscou a glória de Deus como seu mais elevado e derradeiro fim.

Em João 7.18 lemos: "Quem fala por si mesmo está procurando a sua própria glória; mas o que procura a glória de quem o enviou, esse é verdadeiro, e nele não há injustiça". Quando Cristo diz que não buscava sua própria glória, não podemos sensatamente entender que ele não tinha nenhum respeito por ela, nem mesmo em relação à glória da natureza humana, pois a glória dessa natureza fazia parte da recompensa a ele prometida e do seu futuro arrebatamento. Mas devemos entender que esse não era seu fim supremo; não era o fim principal que determinava sua conduta. E, portanto, quando em oposição a isso, no final da sentença ele diz: "mas o que procura a glória de quem o enviou, esse é verdadeiro", etc., é natural, com base na antítese, entender que esse era seu fim derradeiro, seu determinante fim supremo.

Também lemos em João 12.27-28: "Agora, está angustiada a minha alma, e que direi eu? Pai, salva-me desta hora? Mas precisamente com este propósito vim para esta hora. Pai, glorifica o teu nome". Cristo estava indo para Jerusalém, e esperava, dentro de alguns dias, ser lá crucificado. E a expectativa de seus sofrimentos finais, agora tão próximos, era muito terrível.

Nesse estado de angústia mental, ele se apoia na expectativa do que seria a consequência de seus sofrimentos, a saber, a glória de Deus. Ora, é o fim que sustenta o agente em qualquer obra difícil que ele empreende, e acima de tudo, seu fim derradeiro e supremo. Pois isso, aos olhos dele, está acima de todos os outros valores, e portanto é suficiente para compensar as dificuldades dos meios. Esse fim, que em si mesmo é para ele agradável e encantador, e que no final das contas coroa seus desejos, é o centro de repouso e apoio, e portanto deve ser a fonte e a culminância de todo deleite e conforto que ele alimenta em suas expectativas a respeito de sua obra. Ora, Cristo sente sua alma cansada e angustiada diante da visão do que era infinitamente a parte mais difícil de sua obra, e que agora estava prestes a chegar. Agora, com certeza, se sua mente busca apoio no conflito derivado de uma visão de seu fim, ela deve do modo mais natural refugiar-se no fim mais elevado, que é a fonte apropriada de todo apoio nesse caso. Podemos muito bem supor que, quando sua alma enfrenta as mais extremas dificuldades, ela recorre à ideia de seu supremo e derradeiro fim, a fonte de todo apoio e conforto de que ele dispõe em sua obra.

A mesma coisa, Cristo buscando a glória de Deus como seu fim supremo, é evidente no que ele diz quando se aproxima ainda mais da hora de seus últimos sofrimentos, naquela notável oração, a última que ele fez com seus discípulos na noite anterior à sua crucificação. Nela ele expressa a culminância de seus objetivos e desejos. Suas primeiras palavras, em João 17.1, são: "Pai, é chegada a hora; glorifica a teu Filho, para que o Filho te glorifique a ti". Como esse é o seu primeiro pedido, podemos supor que ele seja o pedido e desejo supremo, e o que Cristo no final das contas intentou em tudo. Se considerarmos o que segue até o fim, todo o resto que se diz nessa oração parece uma ampliação desse grande pedido.

De modo geral, acredito que está bastante claro que Jesus Cristo buscou a glória de Deus como seu derradeiro e mais elevado fim, e que, portanto, de acordo com a duodécima posição, esse foi o derradeiro fim de Deus na criação do mundo.

7 É evidente, com base nas Escrituras, que a glória de Deus é o fim derradeiro da grande obra da providência, a obra da redenção empreendida por Jesus Cristo.

Isso fica patente com base no que acabamos de observar: que nisso consiste em última análise o fim buscado pelo Redentor, Jesus Cristo. E, se também considerarmos os textos mencionados como provas do que se disse e prestarmos atenção ao contexto, ficará muito claro que foi isso que Cristo buscou como seu derradeiro fim naquela grande obra para a qual ele veio ao mundo, isto é, conseguir a redenção de seu povo. É evidente que, em João 7.18, Cristo declara que não buscou sua própria glória naquilo que fez, a obra que realizou, para a qual ele veio ao mundo, que é a obra de redenção. E, no que se refere ao texto de João 12.27-28, já se observou que Cristo encontrou conforto para si ante a visão da extrema dificuldade de sua obra na perspectiva do mais elevado, culminante e mais excelente fim dessa obra, para a qual ele se empenhou de coração e na qual mais se rejubilou.

E na resposta que o Pai lhe enviou do céu naquela ocasião, na segunda parte do mesmo versículo, João 12.28, lemos: "Eu já o glorifiquei e ainda o glorificarei". O sentido é claramente que Deus glorificou seu nome naquilo que Cristo havia feito, na obra que o mandou realizar; e o glorificaria de novo, num grau mais elevado, naquilo que ainda faria e no bom êxito consequente. Cristo mostra que entendeu a situação desse modo naquilo que diz sobre ela quando as pessoas perceberam e se admiraram com a voz ouvida. Alguns diziam que fora um trovão; outros, que um anjo lhe havia dirigido a palavra. Cristo explica: "Não foi por mim que veio esta voz, e sim por vossa causa". E depois ele acrescenta (exultando ante a perspectiva desse glorioso fim e bom êxito): "Chegou o momento de ser julgado este mundo, e agora o seu príncipe será expulso. E eu, quando for levantado da terra, atrairei todos a mim mesmo". Nesse bom êxito da obra de redenção ele deposita sua própria glória, como já se observou antes. João 12.23-24 diz:

"É chegada a hora de ser glorificado o Filho do Homem. Em verdade, em verdade vos digo: se o grão de trigo, caindo na terra, não morrer, fica ele só; mas, se morrer, produz muito fruto".

Assim, está claro que, quando busca sua própria glória e a de seu Pai, naquela oração do capítulo 17, ele a busca como o fim da grande obra para a qual veio ao mundo e que está prestes a concluir com sua morte. O que segue em toda aquela oração mostra isso com clareza, particularmente nos versículos 4-5: "Eu te glorifiquei na terra, consumando a obra que me confiaste para fazer; e, agora, glorifica-me, ó Pai, contigo mesmo". Aqui está bem nítido que a declaração feita ao Pai que ele o havia glorificado na terra, e concluído a obra cuja execução lhe fora atribuída, significava que ele havia terminado a obra que Deus o incumbira de fazer para esse fim: para que ele pudesse ser glorificado. Ele havia agora terminado a fundação de sua glória que viera lançar no mundo. Havia estabelecido uma fundação para seu Pai realizar sua vontade e o máximo que ele planejou. Com isso fica evidente que a glória de Deus era o ponto culminante de seu plano, ou seu fim supremo nessa grande obra.

E é evidente, segundo João 13.31-32, que a glória do Pai, e sua própria glória, constituem aquilo em que Cristo exulta, na expectativa de suas tribulações que vão surgindo, depois que Judas saiu para traí-lo, como o fim principalmente visado por seu coração e no qual se rejubilava ao máximo: "Quando ele saiu, disse Jesus: Agora, foi glorificado o Filho do Homem, e Deus foi glorificado nele; se Deus foi glorificado nele, também Deus o glorificará nele mesmo; e glorificá-lo-á imediatamente".

Que a glória de Deus é o mais elevado e derradeiro fim da obra de redenção é um fato confirmado pelo canto dos anjos no nascimento de Cristo. Lucas 2.14 diz: "Glória a Deus nas maiores alturas, e paz na terra entre os homens, a quem ele quer bem". Deve-se supor que os anjos sabiam qual era o fim derradeiro de Deus ao enviar Cristo ao mundo, e que em seu rejúbilo naquela ocasião, a mente deles mais se rejubilava naquilo que nele era mais precioso e glorioso, e isso consistia em sua relação com o que era seu principal e supremo fim. E podemos ainda supor que o fato que mais ocupava a mente dos anjos era algo sumamente glorioso e jubiloso envolvendo aquele acontecimento, e que abriria aquele canto para expressar os sentimentos da mente e o júbilo do coração dos anjos.

A glória do Pai e do Filho é mencionada como o fim da obra de redenção em Filipenses 2.6-11 (de modo muito semelhante ao que se lê em Jo 12.23,28; 13.31-32; 17.1,4-5): "pois ele, subsistindo em forma de Deus, [...] a si mesmo se esvaziou, assumindo a forma de servo, tornando-se em semelhança de homens; e, reconhecido em figura humana, a si mesmo se humilhou, tornando-se obediente até à morte e morte de cruz. Pelo que também Deus o exaltou sobremaneira e lhe deu o nome, [...] para que ao nome de Jesus se dobre todo joelho, [...] e toda língua confesse que Jesus Cristo é Senhor, para glória de Deus Pai". Assim, a glória de Deus, ou o louvor de sua glória, é mencionada como fim da obra de redenção em Efésios 1.3-5: "Bendito o Deus e Pai de nosso Senhor Jesus Cristo, que nos tem abençoado com toda sorte de bênção espiritual nas regiões celestiais em Cristo, assim como nos escolheu, nele, [...] nos predestinou para ele, para a adoção de filhos, por meio de Jesus Cristo, segundo o beneplácito de sua vontade". E na continuação do mesmo discurso, sobre a redenção de Cristo, a glória de Deus é várias vezes mencionada como o grande fim de tudo.

Diversos aspectos dessa grande redenção são mencionados nos versículos seguintes, como, por exemplo, a grande sabedoria de Deus implicada nisso (v. 8); a clareza da luz propiciada por meio de Cristo (v. 9); a convergência divina em Cristo de todas as coisas, tanto do céu como as da terra (v. 10); o fato de Deus conceder aos primeiros judeus convertidos à fé cristã um grande interesse na redenção (v. 11). Em seguida o final sublime é acrescentado: "a fim de sermos para louvor da sua glória, nós, os que de antemão esperamos em Cristo" (v. 12). Nos dois versículos seguintes é mencionada a outorga da mesma extraordinária salvação aos gentios, no início da redenção ou nos seus primeiros frutos neste mundo, e na completude dela no outro mundo. E em seguida o mesmo final sublime é acrescentado de novo: "em quem também vós, depois que ouvistes a palavra da verdade, o evangelho da vossa salvação, tendo nele também crido, fostes selados com o Santo Espírito da promessa; o qual é o penhor da nossa herança, até ao resgate da sua propriedade, em louvor da sua glória" (v 13-14).

A mesma ideia é expressa praticamente da mesma maneira em 2Coríntios 4.14-15: "aquele que ressuscitou o Senhor Jesus também nos ressuscitará com Jesus e nos apresentará convosco. Porque todas as coisas existem por amor de vós, para que a graça, multiplicando-se, torne abundantes as ações de graças por meio de muitos, para glória de Deus".

Esse mesmo assunto é mencionado como o fim da obra de redenção no Antigo Testamento. Em Salmos 79.9: "Assiste-nos, ó Deus e Salvador nosso, pela glória do teu nome; livra-nos e perdoa-nos os pecados, por amor do teu nome". Assim também se lê nas profecias de redenção de Jesus Cristo. Em Isaías 44.23: "Regozijai-vos, ó céus, porque o Senhor fez isto; exultai, vós, ó profundezas da terra; retumbai com júbilo, vós, montes, vós, bosques e todas as suas árvores, porque o Senhor remiu a Jacó e se glorificou em Israel". Desse modo, as obras da criação são convidadas a se rejubilarem por ter sido atingido o mesmo fim, por meio da redenção do povo de Deus, pelo qual se rejubilaram os anjos quando Cristo nasceu. (Sobre a glorificação de Deus, ver também Is 48.10-11; 49.3.)

Fica assim evidente que a glória de Deus é o fim supremo da obra de redenção, que é a principal obra da providência em benefício do mundo moral, como é ricamente demostrado pelas Escrituras. Pois todo o universo é sujeito a Jesus Cristo; todo o céu e a terra, anjos e homens, são sujeitos a ele, como partícipes na execução dessa missão, e são postos sob seu comando para este fim: que todas as coisas possam ser ordenadas por ele, a serviço dos grandes planos de sua redenção. Todo poder, como ele diz, lhe é dado, no céu e na terra, para que possa dar vida eterna a todos os que o Pai lhe confiou, e ele é exaltado acima de todos os principados e potestades, tronos e domínios, e constituído chefe da igreja acima de todas as coisas. Os anjos são sujeitos a ele, para que possa empregá-los como espíritos servidores, visando o bem daqueles que serão os herdeiros da salvação. E todas as coisas são assim controladas pelo seu Redentor, de modo que todas são dele, tanto as presentes como as futuras. E todas as obras da providência no governo moral do mundo, das quais temos um relato nas Escrituras, ou que são prenunciadas em profecias das Escrituras, são evidentemente subordinadas aos sublimes propósitos e fins dessa grande obra. E, além disso, a obra da redenção consiste naquilo pelo qual os bons seres humanos são, por assim dizer, criados como bons seres humanos ou como seres humanos restaurados na santidade e felicidade. A obra de redenção é uma nova criação, segundo as Escrituras, pela qual os seres humanos passam a ter uma nova existência e são transformados em novas criaturas.

Desses fatos decorre, de acordo com a quinta, sexta e sétima posições, que a glória de Deus é o fim derradeiro da criação do mundo.

8 As Escrituras nos levam a supor que a glória de Deus é seu fim derradeiro em seu governo moral do mundo em geral.

Isso já foi mostrado a respeito de várias coisas que fazem parte do governo moral do mundo por Deus, particularmente na obra de redenção, a mais sublime de todas as suas dispensações nesse seu governo. E também já comentei isso ao falar do dever que Deus requer dos súditos de seu governo moral, exigindo que eles busquem a glória dele como o fim derradeiro deles. E nisso consiste de fato o fim derradeiro da excelência moral que deles se espera, o fim que confere à excelência moral deles seu principal valor. Isso é também o que aquela pessoa que Deus designou para liderar o mundo moral como cabeça dele, o próprio Jesus Cristo, busca como seu fim principal. E ficou demonstrado que esse é o fim principal para o qual aquela parte do mundo moral que é excelente foi criada, ou passou a ter sua existência como sendo excelente.

Passo agora a comentar que esse é o fim do estabelecimento do culto público e das leis de Deus entre os seres humanos. Lemos em Ageu 1.8: "Subi ao monte, trazei madeira e edificai a casa; dela me agradarei e serei glorificado, diz o SENHOR". Isto é o que se diz ser, em 2Coríntios 1.20, o fim das promessas de recompensas de Deus e do cumprimento delas: "Porque quantas são as promessas de Deus, tantas têm nele o sim; porquanto também por ele é o amém para glória de Deus, por nosso intermédio". E isto é o que se diz ser, em Números 14.20-21, o fim da execução das ameaças de Deus, na punição do pecado: "Tornou-lhe o SENHOR: Segundo a tua palavra, eu lhe perdoei. Porém, tão certo como eu vivo, e como toda a terra se encherá da glória do SENHOR". A glória do SENHOR é evidentemente mencionada aqui como aquilo que ele considerava seu mais elevado e supremo fim, no qual portanto ele não podia fracassar, algo que devia acontecer em toda parte e em todas as situações, em todas as divisões de seu domínio, acontecesse o que acontecesse com a humanidade. E quaisquer abatimentos que se fizessem em relação ao mérito de juízos, e quaisquer mudanças que viessem a acontecer no curso dos procedimentos de Deus por sua compaixão pelos pecadores, mesmo assim a obtenção da glória de Deus era um fim que, sendo derradeiro e supremo, não deveria, absolutamente, em nenhuma hipótese, ser abandonado.

Fala-se disso como sendo o fim da execução de juízos de Deus contra seus inimigos deste mundo. Em Êxodo 14.17-18: "serei glorificado em Faraó e em todo o seu exército", etc. Em Ezequiel 28.22: "Assim diz o SENHOR Deus: Eis-me contra ti, ó Sidom, e serei glorificado no meio de ti; saberão que eu sou o SENHOR, quando nela executar juízos e nela me santificar". Assim também em 39.13: "Sim, todo o povo da terra os sepultará; ser-lhes-á memorável o dia em que eu for glorificado, diz o SENHOR Deus". E fala-se disso como sendo o fim, tanto das execuções de ira quanto de gloriosos gestos de misericórdia, na miséria e na felicidade de outro mundo. Em Romanos 9.22-23:

"Que diremos, pois, se Deus, querendo mostrar a sua ira e dar a conhecer o seu poder, suportou com muita longanimidade os vasos de ira, preparados para a perdição, a fim de que também desse a conhecer as riquezas da sua glória em vasos de misericórdia, que para glória preparou de antemão?".

E isso é mencionado como sendo o fim do dia do juízo, que é o tempo marcado para os mais elevados atos da autoridade de Deus como Chefe moral do mundo; e trata-se, por assim dizer, do dia da consumação do governo moral de Deus no que diz respeito a todos os seus súditos no céu, na terra e no inferno. Em 2Tessalonicenses 1.9-10: "Estes sofrerão penalidade de eterna destruição, banidos da face do Senhor e da glória do seu poder, quando vier para ser glorificado nos seus santos e ser admirado em todos os que creram". Então sua glória será alcançada no que diz respeito a santos bem como a pecadores.

Com base nessas observações fica evidente, segundo a quarta posição, que a glória de Deus é o fim supremo da criação do mundo.

9 Parece, com base no que já observamos, que a glória de Deus é mencionada nas Escrituras como sendo o fim derradeiro do mundo dele, e é óbvio que esse é de fato o resultado das obras da providência comum de Deus e da criação do mundo.

Tomemos a glória de Deus naquele sentido que, sendo coerente com o fato de ela ser um bem alcançado por qualquer obra de Deus, certamente é a consequência dessas obras; e, além disso, ela é explicitamente mencionada desse modo nas Escrituras. Isso está implícito no Salmo 8, no qual se celebram as obras da criação: os céus, a obra dos dedos de Deus; a lua e as estrelas, estabelecidas por ele; e o homem, criado um pouco menor do que os anjos, etc. No primeiro versículo se lê: "Ó SENHOR, Senhor nosso, quão magnífico em toda a terra é o teu nome! Pois expuseste nos céus a tua majestade", ou acima dos céus. Os termos "nome" e "majestade" (sinônimos de "glória") significam nesse contexto praticamente a mesma coisa, aqui como em muitas outras passagens, como se mostrará de modo específico mais adiante. O salmo termina como começou: "Ó SENHOR, Senhor nosso, quão magnífico em toda a terra é o teu nome!". Assim também, no Salmo 148, depois de uma menção específica da maioria das obras da criação, enumeradas em ordem, o salmista diz no versículo 13: "Louvem o nome do SENHOR, porque só o seu nome é excelso; a sua majestade é acima da terra e do céu". E no Salmo 104, depois de uma magnífica representação muito específica e ordenada das obras da criação e da providência comum, se lê no versículo 31: "A glória do SENHOR seja para sempre! Exulte o SENHOR por suas obras!". Aqui, a glória de Deus é mencionada como o maravilhoso resultado e a abençoada consequência, pelos quais ele se rejubila nessas obras. E esse é sem dúvida um motivo implícito na canção do serafim de Isaías 6.3: "Santo, santo, santo é o SENHOR dos Exércitos; toda a terra está cheia da sua glória".

A glória de Deus, sendo o resultado e a consequência dessas mencionadas obras da providência, é de fato a consequência da criação. O bem auferido no uso de um objeto feito para ser usado resulta da criação do objeto. Por exemplo, marcar a hora do dia, quando isso de fato se obtém mediante o uso de um relógio, é a consequência da fabricação do relógio. Da mesma forma percebe-se que a glória de Deus é de fato o resultado e a consequência da criação do mundo. E, com base no que já foi observado, parece tratar-se do que Deus busca como sendo bom, valioso e excelente em si mesmo. E eu suponho que ninguém alegará falsamente que existe algo peculiar na natureza desse caso, tornando uma coisa valiosa em algumas instâncias em que ela se apresenta e não em outras; ou que a glória de Deus, embora seja de fato um efeito de todas as obras de Deus, é um efeito extremamente desejável em algumas delas, ao passo que em outras, esse efeito é insignificante e não tem valor algum. A glória de Deus, portanto, deve ser uma consequência desejável e valiosa da obra da criação. Por consequência, é evidente, segundo a terceira posição, que a glória de Deus é o fim supremo da criação do mundo.

8

Passagens das Escrituras que nos fazem supor que Deus criou o mundo em consideração de seu nome, a fim de divulgar suas perfeições, e que ele fez isso visando seu próprio louvor

1 Aqui, em primeiro lugar, levarei em conta algumas passagens das Escrituras que falam do nome de Deus como objeto de seu respeito e do respeito de suas virtuosas e santas criaturas inteligentes, praticamente da mesma forma que fiz ao falar da glória de Deus.

O nome de Deus é mencionado, de maneira semelhante, como o fim de seus atos de bondade com respeito à parte boa do mundo moral, e de suas obras de misericórdia e salvação em relação a seu povo. Como em 1Samuel 12.22: "Pois o SENHOR, por causa do seu grande nome, não desamparará o seu povo." Em Salmos 23.3: "Refrigera-me a alma. Guia-me pelas veredas da justiça por amor do seu nome". Em 31.3: "Por causa do teu nome, tu me conduzirás e me guiarás". Em 109.21: "Mas tu, SENHOR Deus, age por mim, por amor do teu nome". O perdão dos pecados em particular é muitas vezes mencionado como sendo concedido por amor do nome de Deus. Em 1João 2.12: "Filhinhos, eu vos escrevo, porque os vossos pecados são perdoados, por causa do seu nome". Em Salmos 25.11: "Por causa do teu nome, SENHOR, perdoa a minha iniquidade, que é grande". Em 79.9: "Assiste-nos, ó Deus e Salvador nosso, pela glória do teu nome; livra-nos e perdoa-nos os pecados, por amor do teu nome". Em Jeremias 14.7: "Posto que as nossas maldades testificam contra nós, ó Senhor, age por amor do teu nome".

Essas constatações parecem mostrar que a salvação de Cristo acontece por amor do nome de Deus. A condução e orientação no caminho da segurança e da felicidade, a restauração da alma e o perdão dos pecados, e aquele socorro, libertação e salvação, que são consequências implícitas, tudo acontece por amor do nome de Deus. E aqui se pode observar que aquelas duas grandes salvações temporais do povo de Deus, a redenção do Egito e a da Babilônia, muitas vezes representadas como figuras e imagens da redenção de Cristo, são frequentemente mencionadas como tendo sido levadas a cabo por amor do nome de Deus.

Assim é descrita em 2Samuel 7.23 aquela grande obra de Deus na libertação de seu povo da escravidão no Egito e na condução deles para Canaã: "Quem há como o teu povo, como Israel, gente única na terra, a quem tu, ó Deus, foste resgatar para ser teu povo? E para fazer a ti mesmo um nome". Em Salmos 106.8: "Mas ele os salvou por amor do seu nome". Em Isaías 63.12: "[Onde está] Aquele cujo braço glorioso ele fez andar à mão direita de Moisés? Que fendeu as águas diante deles, criando para si um nome eterno?". Em Ezequiel 20, Deus, evocando os vários momentos de sua maravilhosa obra, vez por outra acrescenta: "O que fiz, porém, foi por amor do meu nome, para que não fosse profanado diante das nações no meio das quais eles estavam" (ver Ez 20.9,14,22; ver tb. Js 7.8-9; Dn 9.15.).

O mesmo se constata no caso da redenção do cativeiro babilônico. Em Isaías 48.9,11 se lê: "Por amor do meu nome, retardarei a minha ira [...] Por amor de mim, por amor de mim, é que faço isto; porque como seria profanado o meu nome?". Em Ezequiel 36.21-23, é apresentado o motivo da misericórdia de Deus na restauração de Israel: "Mas tive compaixão do meu santo nome. [...] Assim diz o Senhor Deus: Não é por amor de vós que eu faço isto, ó casa de Israel, mas pelo meu santo nome. [...] Vindicarei a santidade do meu grande nome, que foi profanado entre as nações". E em 39.25: "Portanto, assim diz o SENHOR Deus: Agora, tornarei a mudar a sorte de Jacó e me compadecerei de toda a casa de Israel; terei zelo pelo meu santo nome". E, em Daniel 9.19, o profeta ora pedindo a Deus que perdoe seu povo e lhe mostre misericórdia por amor de si mesmo e de seu nome.

Quando Deus, ocasionalmente, fala em mostrar compaixão e exercer sua bondade e promover a felicidade de seu povo por amor ao seu próprio nome, não podemos entender isso como um mero fim subordinado. Que absurdo seria dizer que ele promove a felicidade deles por amor ao seu próprio nome numa subordinação ao bem deles, e que seu nome só pode ser exaltado pelo amor deles, como um meio de promover a felicidade deles! Isso especialmente quando expressões como estas são usadas: "O que fiz, porém, foi por amor do meu nome, para que não fosse profanado diante das nações no meio das quais eles estavam", e "Não é por amor de vós que eu faço isto, ó casa de Israel, mas pelo meu santo nome".

Mais uma vez, o fato é representado como se o povo de Deus devesse sua existência, pelo menos como povo de Deus, ao amor do nome de Deus. O fato de Deus os redimir ou os comprar para que possam ser seu povo, para seu nome, implica isso. Como naquela passagem já citada, 2Samuel 7:23: "Quem há como o teu povo, como Israel, gente única na terra, a quem tu, ó Deus, foste resgatar para ser teu povo? E para fazer a ti mesmo um nome [...]?". Da mesma forma, o fato de Deus fazer deles um povo para o seu nome está implícito em Jeremias 13.11: "Porque, como o cinto se apega aos lombos do homem, assim eu fiz apegar-se a mim toda a casa de Israel [...], para me serem por povo, e nome". Em Atos 15.14: "expôs Simão [Pedro] como Deus, primeiramente, visitou os gentios, a fim de constituir dentre eles um povo para o seu nome".

Isso também é mencionado como o fim da virtude, religião e piedoso comportamento dos santos. Em Romanos 1.5: "por intermédio de quem viemos a receber graça e apostolado por amor do seu nome, para a obediência por fé, entre todos os gentios". Em Mateus 19.29: "E todo aquele que tiver deixado casas, ou irmãos [...], por causa do meu nome, receberá muitas vezes mais e herdará a vida eterna". Em 3João 1.7: "pois por causa do Nome foi que saíram, nada recebendo dos gentios". Em Apocalipse 2.3: "e tens perseverança, e suportaste provas por causa do meu nome, e não te deixaste esmorecer".

E nós constatamos que pessoas santas expressam seu desejo disso e nisso se rejubilam, exatamente como na glória de Deus. Em 2Samuel 7.26: "Seja para sempre engrandecido o teu nome". Em Salmos 76.1: "Conhecido é Deus em Judá; grande, o seu nome em Israel". Em 148.13: "Louvem o nome do Senhor, porque só o seu nome é excelso; a sua majestade é acima da terra e do céu". Em 135.13: "O teu nome, Senhor, persiste para sempre; a tua memória, Senhor, passará de geração em geração". Em Isaías 12.4: "tornai manifestos os seus feitos entre os povos, relembrai que é excelso o seu nome".

Os juízos que Deus executa contra os maus são mencionados como sendo pelo amor do seu nome, de maneira semelhante como são para a sua glória. Em Êxodo 9.16: "Mas, deveras, para isso te hei mantido, a fim de mostrar-te o meu poder, e para que seja o meu nome anunciado em toda a terra". Em Neemias 9.10: "Fizeste sinais e milagres contra Faraó e seus servos e contra todo o povo da sua terra, porque soubeste que os trataram com soberba; e, assim, adquiriste renome, como hoje se vê". E isso é mencionado como uma consequência das obras da criação, assim como a glória de Deus. Em Salmos 8.1: "Ó Senhor, Senhor nosso, quão magnífico em toda a terra é o teu nome! Pois expuseste nos céus a tua majestade".

E em seguida, na conclusão das observações sobre as obras da criação, assim termina o salmo no versículo 9: "Ó Senhor, Senhor nosso, quão magnífico em toda a terra é o teu nome!". O mesmo comentário se repete em Salmos 148.13, depois da menção de várias obras da criação: "Louvem o nome do

Senhor, porque só o seu nome é excelso; a sua majestade é acima da terra e do céu".

2 Assim, percebemos que a manifestação das perfeições de Deus, de sua grandeza e excelência, é mencionada praticamente da mesma maneira que é mencionada a glória de Deus.

Há várias passagens que nos levariam a supor que essa é a grande ideia que Deus intentou no mundo moral e o fim visado nos agentes morais, e para isso eles devem atuar correspondendo ao seu fim. É o que parece estar implícito naquele argumento de que às vezes se serviu o povo de Deus, protestando contra um estado de destruição e morte, afirmando que, em tal estado, eles não podem conhecer ou tornar conhecida a gloriosa excelência de Deus. Em Salmos 88.11-12: "Será referida a tua bondade na sepultura? A tua fidelidade, nos abismos? Acaso, nas trevas se manifestam as tuas maravilhas? E a tua justiça, na terra do esquecimento?". O mesmo se lê em Salmos 30.9 e Isaías 38.18-19. O argumento parece ser este: Por que deveríamos perecer? E como pode o teu fim, para o qual nos criaste, ser alcançado num estado de destruição, no qual tua glória não pode tornar-se conhecida ou proclamada?

Este é o fim da parte boa do mundo moral, ou o fim do povo de Deus assim como da glória de Deus. Em Isaías 43.21: "povo que formei para mim, para celebrar o meu louvor." Em 1Pedro 2.9: "Vós, porém, sois raça eleita, sacerdócio real, nação santa, povo de propriedade exclusiva de Deus, a fim de proclamardes as virtudes daquele que vos chamou das trevas para a sua maravilhosa luz". E isso parece ser retratado como algo em que aparece o valor, o fruto apropriado e o fim da virtude deles. Em Isaías 60.6, sobre a conversão das nações dos gentios à verdadeira religião, se lê que "todos virão [...] e publicarão os louvores do Senhor". E em 66.19: "e alguns dos que foram salvos enviarei às nações, [...] até às terras do mar mais remotas, que jamais ouviram falar de mim, nem viram a minha glória; eles anunciarão entre as nações a minha glória". A isso podemos acrescentar a tendência adequada e o complemento da verdadeira virtude e santa disposição de ânimo. Em 1Crônicas 16.8: "fazei conhecidos, entre os povos, os seus feitos". E em 16.23-24: "proclamai a sua salvação, dia após dia. Anunciai entre as nações a sua glória".[1]

Parece que tudo isso é mencionado como um fim sublime da administração moral de Deus, especialmente os grandes juízos que ele executa dos pecados. Em Êxodo 9.16 se lê: "para isso te hei mantido, a fim de mostrar-te o meu poder, e para que seja o meu nome anunciado em toda a terra". Em Daniel 4.17: "Esta sentença é por decreto dos vigilantes [...]; a fim de que conheçam os viventes que o Altíssimo tem domínio sobre o reino dos homens; e o dá a quem quer e até ao mais humilde dos homens constitui sobre eles". Mas passagens nesse sentido são numerosas demais para serem citadas de modo específico. O leitor pode verificá-las em separado.[2]

Esse é também um sublime fim das obras de Deus que implica favorecimento e misericórdia em benefício de seu povo. Em 2Reis 19.19 se lê: "Agora, pois, ó Senhor, nosso Deus, livra-nos das suas mãos, para que todos os reinos da terra saibam que só tu és o Senhor Deus". Em 1Reis 8.59-60: "para que faça ele justiça ao seu servo e ao seu povo de Israel, segundo cada dia o exigir, para que todos os povos da terra saibam que o Senhor é Deus e que não há outro". Ver outras passagens nesse mesmo sentido indicadas em separado.[3]

Isso é mencionado como o fim da eterna condenação dos maus e também da eterna felicidade dos justos. Em Romanos 9.22-23: "Que diremos, pois, se Deus, querendo mostrar a

[1] Ver tb. Sl 9.1,11,14; 19.1; 26.7; 71.18; 75.9; 76.1; 79.13; 96.2-3; 101.1; 107.22; 118.17; 145.6,11-12; Is 42.12; 64.1-2; Jr 51.10.

[2] Êx 14.17-18; 1Sm 17.46; Sl 83.18; Is 45.3; Ez 6.7,10,13-14; 7.4,9,27; 11.10-12; 12.15,16,20; 13.9,14,21,23; 14.8; 15.7; 21.5; 22.16; 25.7,11,17; 26.6; 28.22-24; 29.9,16; 30.8,19,25-26; 32.15; 33.29; 35.4,12,15; 38.23; 39.6-7,21-22.

[3] Êx 6.7; 8.22; 16.12; 1Rs 8.43; 20.28; Sl 102.21; Ez 23.49; 24.21; 25.5; 35.9; 39.21-22.

sua ira e dar a conhecer o seu poder, suportou com muita longanimidade os vasos de ira, preparados para a perdição, a fim de que também desse a conhecer as riquezas da sua glória em vasos de misericórdia, que para glória preparou de antemão[...]?". Isso é frequentemente mencionado como um sublime fim dos milagres operados por Deus[4] e das ordenações estabelecidas por ele. Em Êxodo 29.44-46: "também santificarei Arão e seus filhos, para que me oficiem como sacerdotes. E habitarei no meio dos filhos de Israel e serei o seu Deus. E saberão que eu sou o Senhor, seu Deus", etc. Em 31.13: "Certamente, guardareis os meus sábados; pois é sinal entre mim e vós nas vossas gerações; para que saibais que eu sou o Senhor, que vos santifica". Temos de novo quase as mesmas palavras em Ezequiel 20.12,20.

Esse foi um sublime fim da redenção do cativeiro egípcio. Em Salmos 106.8: "Mas ele os salvou por amor do seu nome, para lhes fazer notório o seu poder".[5] E também da redenção do cativeiro babilônico, em Ezequiel 20.34-38: "tirar-vos-ei dentre os povos e vos congregarei das terras nas quais andais espalhados. [...] Levar-vos-ei ao deserto dos povos e ali entrarei em juízo convosco, face a face. Como entrei em juízo com vossos pais, no deserto da terra do Egito. [...] Far-vos-ei passar debaixo do meu cajado e vos sujeitarei à disciplina da aliança. [...] e sabereis que eu sou o Senhor". Em Ezequiel 20.42: "Sabereis que eu sou o Senhor, quando eu vos der entrada na terra de Israel". E em 20.44: "Sabereis que eu sou o Senhor, quando eu proceder para convosco por amor do meu nome".[6]

Isso também é declarado como um sublime fim da obra da redenção realizada por Jesus Cristo, tanto na obtenção dela como na sua aplicação. Em Romanos 3.25-26: "a quem Deus propôs, no seu sangue, como propiciação, mediante a fé, para manifestar a sua justiça. [...] tendo em vista a manifestação da

[4] Ver Êx 7.17; 8.10; 10.2; Dt 29.5-6; Ez 24.17.

[5] Ver tb. Êx 7.5; Dt 4.34-35.

[6] Ver tb. Ez 28.25-26; 36.11; 37.6,13.

sua justiça no tempo presente, para ele mesmo ser justo e o justificador daquele que tem fé em Jesus". Em Efésios 2.4,7: "Mas Deus, sendo rico em misericórdia, [...] para mostrar, nos séculos vindouros, a suprema riqueza da sua graça, em bondade para conosco, em Cristo Jesus". Em Efésios 3.8-10: "A mim [...] me foi dada esta graça de pregar aos gentios o evangelho das insondáveis riquezas de Cristo e manifestar qual seja a dispensação do mistério, desde os séculos, oculto em Deus, que criou todas as coisas, para que, pela igreja, a multiforme sabedoria de Deus se torne conhecida, agora, dos principados e potestades nos lugares celestiais". Em Salmos 22.21-22: "Salva-me das fauces do leão e dos chifres dos búfalos; sim, tu me respondes. A meus irmãos declararei o teu nome; cantar-te-ei louvores no meio da congregação". (Comparar com Hb 2.12 e Jo 17.26.) Em Isaías 64.1-2: "Oh! Se fendesses os céus e descesses! [...] para fazeres notório o teu nome aos teus adversários!".

E isso é proclamado como o fim da sublime e real salvação, que deveria vir depois de sua aquisição por Cristo, tanto entre os judeus como entre os gentios. Em Isaías 49.22-23: "Eis que levantarei a mão para as nações, [...] eles trarão os teus filhos nos braços [...] Reis serão os teus aios [...]; saberás que eu sou o SENHOR".[7] Esse parece ser o fim da providência comum de Deus, segundo Jó 37.6-7: "Porque ele diz à neve: Cai sobre a terra; e à chuva e ao aguaceiro: Sede fortes. Assim, torna ele inativas as mãos de todos os homens, para que reconheçam as obras dele". E também o fim do dia do juízo, aquela grande consumação do governo moral do mundo por Deus, e também do dia para levar todas as coisas ao seu planejado resultado supremo. Esse dia, em Romanos 2.5, é chamado "o dia [...] da revelação do justo juízo de Deus". E a proclamação ou manifestação pública da excelência de Deus é mencionada como a real e feliz consequência e efeito da obra da criação. Em Salmos

[7] Ver tb. Ez 16.62; 29.21; 34.27; 36.38; 39.28-29; Jl 3.17.

19.1-2,4-5: "Os céus proclamam a glória de Deus, e o firmamento anuncia as obras das suas mãos. Um dia discursa a outro dia, e uma noite revela conhecimento a outra noite. [...] Aí, pôs uma tenda para o sol, o qual, como noivo que sai dos seus aposentos, se regozija como herói, a percorrer o seu caminho", etc.

3 De maneira semelhante, há muitas passagens bíblicas que falam do LOUVOR de Deus, sob muitos dos aspectos mencionados acima, exatamente como se fala do seu nome e sua glória.

Isso é mencionado como o fim da própria existência do povo de Deus, da mesma maneira como anteriormente. Em Jeremias 13.11: "Porque, como o cinto se apega aos lombos do homem, assim eu fiz apegar-se a mim toda a casa de Israel e toda a casa de Judá, diz o SENHOR, para me serem por povo, e nome, e louvor, e glória".

Isso é mencionado como o fim do mundo moral. Em Mateus 21.16: "Da boca de pequeninos e crianças de peito tiraste perfeito louvor". Isto é, assim em tua soberania e sabedoria tu o ordenaste, para que atingisses o sublime fim para o qual criaturas inteligentes são criadas; mas especificamente algumas delas que são fracas, inferiores e mais carentes. (Comparar com Sl 8.1-2.)

E o mesmo que antes foi notado em relação a tornar conhecida a excelência de Deus também se pode observar a respeito do louvor de Deus. Isso é utilizado como um argumento em que se protesta contra um estado de destruição, alegando-se que, em tal estado, não é possível alcançar esse fim, de tal modo que isso parece implicar seu fim supremo, para o qual Deus criou o ser humano. Em Salmos 88.10-12: "Mostrarás tu prodígios aos mortos ou os finados se levantarão para te louvar? Será referida a tua bondade na sepultura? [...] Acaso, nas trevas se manifestam as tuas maravilhas?". Em 30.9: "Que proveito obterás no meu sangue, quando baixo à cova? Louvar-te-á, porventura, o pó? Declarará ele a tua verdade?". Em 115.17-18: "Os mortos não louvam ao SENHOR, nem os que descem à região do silêncio. Nós, porém, bendiremos o SENHOR, desde agora e para sempre. Aleluia!". Em Isaías 38.18-19: "A sepultura não te pode louvar, nem a morte glorificar-te; não esperam em tua fidelidade os que descem à cova. Os vivos, somente os vivos, esses te louvam". E o louvor de Deus é mencionado como o fim da virtude do povo de Deus, da mesma forma que sua glória. Em Filipenses 1.11: "cheios do fruto de justiça, o qual é mediante Jesus Cristo, para glória e louvor de Deus".

O louvor de Deus é o fim da obra da redenção. Em Efésios 1, em que se insiste nas várias partes dessa obra que é apresentada em sua suprema glória, menciona-se repetidamente que o grande fim de tudo deve ser "para louvor da sua glória" (v. 6,12,14). Por meio dessas palavras podemos sem dúvida entender praticamente a mesma coisa que se expressa em Filipenses 1.11: "a glória e louvor de Deus". De acordo com isso, o quarto filho de Jacó, do qual descenderia o grande Redentor, por especial orientação da providência, foi chamado LOUVOR. Essa feliz consequência e glorioso fim daquela sublime redenção, o Messias, um de seus descendentes, teve de levar a cabo.

No Antigo Testamento, esse louvor é mencionado como o fim ou o objetivo do perdão do povo de Deus e sua salvação, da mesma forma como são mencionados o nome e a glória de Deus. Em Isaías 48.9-11 se lê: "Por amor do meu nome, retardarei a minha ira e por causa da minha honra me conterei para contigo, para que te não venha a exterminar. Eis que te acrisolei [...]. Por amor de mim, por amor de mim, é que faço isto; porque como seria profanado o meu nome? A minha glória, não a dou a outrem". E em Jeremias 33.8-9: "Purificá-los-ei de toda a sua iniquidade [...]; e perdoarei todas as suas iniquidades com que pecaram e transgrediram contra mim. Jerusalém me servirá por nome, por louvor e glória".

A parte santa do mundo moral expressa desejos disso e nisso se deleita como sendo o fim para o qual os princípios santos nela implícitos tendem e buscam alcançar e neles descansar em seus exercícios mais elevados. Abundantes evidências comprovam isso, exatamente como acontece em relação à glória de Deus. Seria uma tarefa infindável enumerar passagens específicas onde isso aparece; onde santos declaram isso expressando seus sinceros desejos do louvor de Deus, convocando todas as nações e todos os seres do céu e da terra a louvá-lo, estimulando-se uns aos outros de modo arrebatador, ao grito de "Aleluia! Louvai ao Senhor, louvai-o para todo sempre!". Eles expressam sua determinação de louvá-lo enquanto viverem através de todas as gerações e para todo o sempre; declaram como é bom, como é agradável e apropriado o louvor de Deus, etc. E fica evidenciado que o louvor de Deus é a desejável e gloriosa consequência e o efeito de todas as obras da criação em passagens como Salmos 145.5-10, todo o Salmo 148, e Salmos 103.19-22.

9

Passagens das Escrituras que nos levam a argumentar que a transmissão do bem às criaturas foi algo que Deus teve em mente como um fim supremo da criação do mundo

1 Segundo as Escrituras, a transmissão do bem às criaturas é algo que em si mesmo agrada a Deus. E isso não é apenas agradável de modo subordinado e apreciado por causa de sua relação com um fim ulterior, como acontece na execução da justiça que pune os pecados de seres humanos, mas é o que Deus está propenso a fazer pela coisa em si, e aquilo em que ele se deleita de modo absoluto e definitivo. Deus é às vezes mostrado nas Escrituras tendo prazer na punição dos pecados dos homens, como em Deuteronômio 28.63: "o Senhor se alegrará em vos fazer perecer e vos destruir", e em Ezequiel 5.13: "Assim, se cumprirá a minha ira, e satisfarei neles o meu furor e me consolarei". No entanto, Deus é muitas vezes mostrado exercendo o bem e mostrando compaixão, com prazer, de modo bastante diferente e oposto àquele da execução de sua ira. Esta é mencionada como algo que Deus passa a praticar com hesitação e relutância, e a miséria da criatura não se mostra agradável a ele por si mesma. Em Neemias 9.17: "Porém tu, ó Deus perdoador, clemente e misericordioso, tardio em irar-te e grande em bondade, tu não os desamparaste". Em Salmos 103.8: "O Senhor é misericordioso e compassivo; longânimo e assaz benigno". Em 145.8: "Benigno e misericordioso é o Senhor, tardio em irar-se e de grande clemência". Temos de novo quase as mesmas palavras em Jonas 4.2 e Miqueias 7.18: "Quem, ó Deus, é semelhante a ti, que perdoas a iniquidade? [...] O SENHOR não retém a sua ira para sempre, porque tem prazer na misericórdia". Em Ezequiel 18.32: "Porque não tenho prazer na morte de ninguém, diz o SENHOR Deus. Portanto, convertei-vos e vivei". Em Lamentações 3.33: "[Ele] não aflige, nem entristece de bom grado os filhos dos homens". Em Ezequiel 33.11: "Tão certo como eu vivo, diz o SENHOR Deus, não tenho prazer na morte do perverso, mas em que o perverso se converta do seu caminho e viva. Convertei-vos, convertei-vos dos vossos maus caminhos; pois por que haveis de morrer, ó casa de Israel?". Em 2Pedro 3.9: "não querendo [ele] que nenhum pereça, senão que todos cheguem ao arrependimento".

2 A obra da redenção realizada por Jesus Cristo é apresentada de tal maneira que, por se originar da graça e do amor de Deus pelos seres humanos, não condiz exatamente com uma busca da transmissão do bem a eles de um modo apenas subordinado.

Expressões tais como a que se lê em João 3.16 contêm outra ideia: "Deus amou ao mundo de tal maneira que deu o seu Filho unigênito, para que todo o que nele crê não pereça, mas tenha a vida eterna". E em 1João 4.9-10: "Nisto se manifestou o amor de Deus em nós: em haver Deus enviado o seu Filho unigênito ao mundo, para vivermos por meio dele. Nisto consiste o amor: não em que nós tenhamos amado a Deus, mas em que ele nos amou e enviou o seu Filho como propiciação pelos nossos pecados". A mesma ideia se repete em Efésios 2.4: "Mas Deus, sendo rico em misericórdia, por causa do grande amor com que nos amou", etc. Ora, se isso de fato se devesse apenas a um respeito por um fim ulterior, totalmente diverso do nosso bem, então a isso se limitaria realmente todo o amor de Deus e isso seria seu objetivo supremo e nisso seu amor se manifestaria, rigorosa e apropriadamente falando, e não no fato de ele nos ter amado e ter exercitado uma consideração tão elevada em relação a nós. Pois se o nosso bem não for de modo algum considerado como supremo, mas apenas como subordinado, então o nosso bem ou interesse, considerado em si mesmo, aos olhos de Deus nada é.

As Escrituras a cada passo descrevem isso pressupondo que os grandes feitos e sofrimentos de Cristo derivaram no sentido mais direto e apropriado do seu transbordante amor por nós. O apóstolo Paulo descreve essa questão em Gálatas 2.20: "[Cristo, o Filho de Deus,] que me amou e a si mesmo se entregou por mim". Em Efésios 5.25: "Maridos, amai vossa mulher, como também Cristo amou a igreja e a si mesmo se entregou por ela". E o próprio Cristo diz em João 17.19: "E a favor deles eu me santifico a mim mesmo". E as Escrituras descrevem Cristo confiante na salvação e glória de seu povo, quando isso é alcançado como aquilo que ele de modo supremo buscou, como tendo ele atingido seu objetivo, obtido o prêmio visado, deleitando-se no penoso trabalho de sua alma que o deixa satisfeito, como que recompensado por sua dura labuta e extrema agonia. Ver Isaías 53.10-11: "quando der ele a sua alma como oferta pelo pecado, verá a sua posteridade e prolongará os seus dias; e a vontade do Senhor prosperará nas suas mãos. Ele verá o fruto do penoso trabalho de sua alma e ficará satisfeito; o meu Servo, o Justo, com o seu conhecimento, justificará a muitos, porque as iniquidades deles levará sobre si". Ele enxerga o penoso trabalho de sua alma, vendo sua semente, os filhos trazidos à luz, como resultado desse trabalho. Isso implica que Cristo se deleita, de modo sumamente verdadeiro e apropriado, na obtenção da salvação de sua igreja não meramente como um meio, mas como aquilo com que ele se rejubila e satisfaz do modo mais direto e apropriado.

Isso é comprovado por aquelas passagens que o descrevem rejubilando-se na obtenção desse fruto de seu trabalho e aquisição como acontece com o noivo que conquista sua noiva. Em Isaías 62.5: "como o noivo se alegra da noiva, assim de ti se alegrará o teu Deus". E como são enfáticas e fortemente objetivas as expressões em Sofonias 3.17: "O Senhor, teu Deus, está no meio de ti, poderoso para salvar-te; ele se deleitará em ti com alegria; renovar-te-á no seu amor, regozijar-se-á em ti com júbilo". O mesmo se pode deduzir de Provérbios 8.30-31: "Então, eu [a Sabedoria] estava com ele e era seu arquiteto, dia após dia, eu era as suas delícias, folgando perante ele em todo o tempo; regozijando-me no seu mundo habitável e achando as minhas delícias com os filhos dos homens". Essas coisas são fartamente confirmadas por aquelas passagens que falam dos santos como a parte que cabe a Deus, suas joias e tesouro particular. Ver João 12.23-32. Mas a ponderação específica sobre o que se pode observar, para o nosso propósito, nessa passagem específica será feita para a próxima seção.

3 As transferências da bondade divina, particularmente o perdão dos pecados e a salvação, são mencionadas como derivando da bondade do amor de Deus e de sua misericórdia, exatamente como são mencionadas como derivando do nome de Deus, em passagens examinadas anteriormente.

Em Salmos 25.7 se lê: "Não te lembres dos meus pecados da mocidade, nem das minhas transgressões. Lembra-te de mim, segundo a tua misericórdia, por causa da tua bondade, ó Senhor." No versículo 11, o salmista diz: "Por causa do teu nome, Senhor, perdoa a minha iniquidade". Em Neemias 9.31: "Mas, pela tua grande misericórdia, não acabaste com eles [os filhos de Israel] nem os desamparaste; porque tu és Deus clemente e misericordioso". Em Salmos 6.4: "Volta-te, Senhor, e livra a minha alma; salva-me por tua graça". Em 31.16: "Faze resplandecer o teu rosto sobre o teu servo; salva-me por tua misericórdia". Em 44.26: "Levanta-te para socorrer-nos e resgata-nos por amor da tua benignidade". E aqui se pode observar de que maneira extraordinária Deus fala de seu amor pelos filhos de Israel no deserto, como se seu amor fosse apenas por causa do amor, e sua bondade tivesse em si mesma seu motivo e fim. Em Deuteronômio 7.7-8: "Não vos teve o Senhor afeição, nem vos escolheu porque fôsseis mais numerosos do que qualquer povo, pois éreis o menor de todos os povos, mas porque o SENHOR vos amava".

4 Que a direção do mundo em todas as suas partes visa o bem daqueles que devem ser os eternos alvos da bondade de Deus está implícito naquilo que as Escrituras nos ensinam sobre Cristo sentado à direita de Deus, feito rei dos anjos e dos homens, colocado à frente do universo, detendo todo o poder que lhe é conferido no céu e na terra, a fim de que possa promover a felicidade deles, comandando tudo o que se refere à igreja e controlando toda a criação para o bem dela.[1] Cristo menciona isso em Marcos 2.28 como a razão de o Filho do homem ser feito Senhor do sábado, porque, segundo o versículo 27, "o sábado foi estabelecido por causa do homem". E se assim é, podemos de igual maneira argumentar que todas as coisas foram feitas para o homem, porque o Filho do homem é feito Senhor de todas as coisas.

5 Que Deus usa toda a criação em seu governo para o bem de seu povo é descrito de modo extremamente elegante em Deuteronômio 33.26: "Não há outro, ó amado, semelhante a Deus, que cavalga sobre os céus para a tua ajuda e com a sua alteza sobre as nuvens". Todo o universo é uma máquina, ou carruagem, que ele fez para seu próprio uso, na qual ele está sentado e governa, segundo a descrição da visão de Ezequiel. No céu está o trono sobre o qual Deus está sentado e governa (ver Ez 1.22,26-28). A parte inferior da criação, este universo visível, sujeito a tão contínuas mudanças e revoluções, são as rodas da carruagem. A providência de Deus, nas constantes revoluções, alterações e sucessivos eventos, é representada pelo movimento das rodas da carruagem, imprimido pelo espírito daquele que está sentado em seu trono nos céus ou acima do firmamento. Moisés nos diz em benefício de quem Deus move as rodas dessa carruagem, ou nela viaja, sentado em seu trono

[1] Ef 1.20-23; Jo 3.35; 17.2; Mt 11.27; 28.18-19.

celestial, e para que fim ele avança ou nela percorre seu percurso estabelecido, a saber, a Salvação de seu povo.

6 Julgamentos de Deus sobre os maus neste mundo e também a eterna condenação deles no mundo futuro são mencionados como fins para a felicidade do povo de Deus. Assim são, em Isaías 43.3-4, seus julgamentos deles neste mundo: "Porque eu sou o Senhor, teu Deus, o Santo de Israel, o teu Salvador; dei o Egito por teu resgate e a Etiópia e Sebá, por ti. Visto que foste precioso aos meus olhos, digno de honra, e eu te amei, darei homens por ti e os povos, pela tua vida". Assim as obras da ira e da justiça vingativa de Deus são mencionadas como obras de misericórdia para com seu povo em Salmos 136.10,15,17-20. E da mesma forma acontece com a eterna condenação no outro mundo em Romanos 9.22-23: "Que diremos, pois, se Deus, querendo mostrar a sua ira e dar a conhecer o seu poder, suportou com muita longanimidade os vasos de ira, preparados para a perdição, a fim de que também desse a conhecer as riquezas da sua glória em vasos de misericórdia, que para glória preparou de antemão [...]?". Aqui fica evidente que o segundo versículo é apresentado em conexão com o anterior, como dando outro motivo para a destruição dos maus, ou seja, mostrar a riqueza de sua glória nos vasos de misericórdia: graus mais elevados de glória e felicidade, na satisfação dos próprios prazeres deles e uma percepção maior do seu valor e da generosa graça de Deus em concedê-los.

7 Isso parece afirmar que a bondade de Deus para com aqueles que deverão ser eternos objetos de sua bondade é o fim da criação, uma vez que toda a criação, em todas as suas partes, é mencionada como sendo deles. Ver 1Coríntios 3.21-22: "tudo é vosso: seja Paulo, seja Apolo, seja Cefas, seja o mundo, seja a vida, seja a morte, sejam as coisas presentes, sejam as futuras, tudo é vosso". Os termos são muito universais, e tanto as obras da criação como as da providência são mencionadas, e claramente o objetivo do apóstolo é mostrar que isso se aplica a todas as obras de Deus, quaisquer que sejam. Ora, como podermos entender isso de qualquer outra maneira que não seja que todas as coisas foram criadas em benefício deles e que Deus as criou e usa todas para o bem deles?

8 Todas as obras de Deus, quer da criação quer da providência, são descritas como obras de bondade e misericórdia para com seu povo, como no Salmos 136: suas maravilhosas obras em geral. No versículo 4 se lê: "ao único que opera grandes maravilhas, porque a sua misericórdia dura para sempre". Todas as partes dessas obras. Nos versículos 5-9: "[Rendei graças] àquele que com entendimento fez os céus, porque a sua misericórdia dura para sempre; àquele que estendeu a terra sobre as águas, porque a sua misericórdia dura para sempre; àquele que fez os grandes luminares, porque a sua misericórdia dura para sempre; o sol para presidir de dia, porque a sua misericórdia dura para sempre; a lua e as estrelas para presidirem a noite, porque a sua misericórdia dura para sempre". E as obras da providência de Deus são descritas na parte subsequente do salmo.

9 Em Mateus 25.34 se lê: "Entrai na posse do reino que vos está preparado desde a fundação do mundo". Essa expressão da feliz sentença aplicada aos justos no dia do juízo final parece insistir muito que os frutos da bondade de Deus em prol dos seres humanos foram o fim estabelecido por ele na criação do mundo e em suas disposições providenciais; que Deus em todas as suas obras, desde o lançamento da fundação do mundo e depois disso para todo sempre, vinha preparando esse reino e essa glória para eles.

10 Em conformidade com isso, o bem dos seres humanos é mencionado como um fim supremo da virtude do mundo moral. Romanos 13.8-10 diz: "quem ama o próximo tem cumprido a lei. Pois isto: Não adulterarás; não matarás; [...], e, se há qualquer outro mandamento, tudo nesta palavra se resume: Amarás o teu próximo como a ti mesmo. O amor não pratica o mal contra o próximo; de sorte que o cumprimento da lei é o amor". Em Gálatas 5.14: "Porque toda a lei se cumpre em um só preceito, a saber: Amarás o teu próximo como a ti mesmo".

Em Tiago 2.8: "Se vós, contudo, observais a lei régia segundo a Escritura: Amarás o teu próximo como a ti mesmo, fazeis bem".

Se o bem das criaturas for um fim estabelecido por Deus em tudo o que ele faz, e em tudo o que ele exige que agentes morais façam, um fim pelo qual eles deveriam regular sua conduta, essas coisas podem ser facilmente explicadas. Caso contrário, parece difícil explicar por que o Espírito Santo se expressou dessa maneira. As Escrituras revelam que é próprio do espírito de todos os verdadeiros santos preferir a prosperidade do povo de Deus ao seu principal contentamento. Esse era o espírito de Moisés e dos profetas de outrora; o bem da igreja de Deus era um fim pelo qual eles pautavam sua própria conduta. E o mesmo acontecia com os apóstolos. Em 2Coríntios 4.15: "Porque todas as coisas existem por amor de vós". Em 2Timóteo 2.10: "Por esta razão, tudo suporto por causa dos eleitos, para que também eles obtenham a salvação que está em Cristo Jesus, com eterna glória". E as Escrituras descrevem isso como se cada cristão devesse em todas as suas atividades agir para o bem da igreja, da mesma forma que cada membro em particular age para o bem do corpo (Rm 12.4-5; Ef 4.15-16; 1Co 12.12,25, etc.) Para esse fim, as Escrituras nos ensinam, é que são continuamente empregados os anjos (Hb 1.14).

10

O significado da glória e do nome de Deus nas Escrituras, quando mencionados como o fim das suas obras

Depois de considerar os assuntos mencionados nas Sagradas Escrituras como os fins que Deus, na criação do mundo, tinha em vista como supremos, passo agora a indagar especificamente quais são eles e como devem ser entendidos os termos.

I Comecemos pela expressão "a glória de Deus". E aqui eu poderia observar que ela é às vezes empregada para significar a segunda pessoa da Trindade; mas não é necessário, a essa altura, prová-lo a partir de passagens específicas das Escrituras. Dito isso, passo a observar alguns aspectos que dizem respeito à palavra hebraica *kabod*, que é mais comumente empregada no Antigo Testamento em casos em que na Bíblia em português ocorre a palavra "glória". A raiz da qual ela deriva é o verbo que significa "ser pesado" ou "tornar pesado", ou o adjetivo que significa "pesado" ou "momentoso". Esses, como parece bastante evidente, são os significados básicos dessas palavras, embora elas também tenham outros significados, que parecem ser derivativos. O substantivo significa "gravidade", "grandeza" e "abundância". Dentre muitas passagens bastará especificar algumas: Provérbios 27.3; 2Samuel 14.26; 1Reis 12.11; Salmos 38.4; Isaías 30.27. E, uma vez que o peso dos corpos é causado por dois fatores, densidade e magnitude, nós podemos afirmar que a palavra empregada significa "denso", segundo

Êxodo 19.16 (*'anan kaved*, *nubes gravis*; na Vulgata: *densissima*), uma nuvem espessa, termo muitas vezes empregado para significar "grandioso": (Is 32.2; 63.2; 1Rs 10.2; 2Rs 6.14; 18.17; etc).

A palavra hebraica *kabod*, que é comumente traduzida como "glória", é empregada da maneira que se poderia esperar desse significado das palavras das quais ela deriva. Às vezes é empregada para significar o que é interno, inerente ou é possuído pela pessoa; às vezes para significar emanação, manifestação ou comunicação dessa glória interna; e às vezes no sentido de conhecimento ou percepção dessas coisas pelas pessoas a quem essa manifestação ou comunicação é feita, ou como uma expressão desse conhecimento, percepção ou efeito. E aqui eu observaria que em conformidade com o emprego dessa palavra no Antigo Testamento está a palavra grega *doxa* no Novo Testamento. Pois, como a palavra é geralmente traduzida pela recém-mencionada palavra grega *doxa* na Septuaginta, é evidente que ela se destina a ser empregada para significar no Novo Testamento a mesma coisa que significa no Antigo Testamento. Isso pode ser sobejamente comprovado comparando-se passagens específicas do Antigo Testamento. Mas é provável que ninguém o negue. Eu, portanto, passo a considerar particularmente essas palavras no que diz respeito ao uso delas nas Escrituras em cada uma das maneiras mencionadas acima.

1 A palavra "glória" às vezes denota o que é interior. Quando é empregada para significar o que está dentro, ou está em posse do sujeito, ela comumente significa excelência, dignidade ou merecimento de respeito. Isso, de acordo com o idioma hebraico, indica, por assim dizer, o peso de algo, como sendo a razão pela qual uma coisa é pesada, assim como ser leve significa inútil, sem valor, desprezível. Em Números 21.5: "este pão vil". Em 1Samuel 18.23: "Parece-vos coisa de somenos [...]?". Em Juízes 9.4: "homens levianos", isto é, pessoas inúteis, vãs, vis. O mesmo se verifica em Sofonias 3.4. Fazer pouco caso de alguma coisa significa desprezá-la: 2Samuel 19.43. A vileza do rei Belsazar aos olhos de Deus é descrita como ele tendo sido *Tekel*, isto é, pesado na balança e achado em falta: Daniel 5.27. E, uma vez que o peso de algo deriva conjuntamente de sua magnitude e gravidade específica, assim a palavra "glória" é muito comumente empregada para significar a excelência de uma pessoa ou coisa, segundo sua grandeza ou beleza ou as duas coisas em conjunto, como se constará fartamente mediante a consideração das passagens citadas em separado.[1]

Às vezes esse extraordinário e excelente bem interior que se chama glória [ou honra] é mais propriamente uma posse do que algo inerente. Qualquer um que possua algo em abundância pode ser considerado pesado, e quem é vazio e desprovido de recursos pode ser considerado leve. Assim descobrimos que riquezas são muitas vezes consideradas glória. Em Gênesis 31.1: "e do que era de nosso pai juntou ele [Jacó] toda esta riqueza". Em Ester 5.11: "Contou-lhes Hamã a glória das suas riquezas". Em Salmos 49.16-17: "Não temas, quando alguém se enriquecer, quando avultar a glória de sua casa; pois, em morrendo, nada levará consigo, a sua glória não o acompanhará". Em Naum 2.9: "Saqueai a prata, saqueai o ouro, porque não se acabam os tesouros; há abastança de todo objeto desejável".

E muitas vezes a riqueza é considerada um elevado grau de prosperidade e plenitude de bem em geral. Em Gênesis 45.13: "Anunciai a meu pai toda a minha glória no Egito". Em Jó 19.9: "Da minha honra me despojou e tirou-me da cabeça a coroa". Em Isaías 10.3: "onde deixareis a vossa glória?". Em 10.16: "Pelo que o Senhor, o SENHOR dos Exércitos, enviará a tísica contra os seus homens, todos gordos, e debaixo da sua glória acenderá uma queima, como a queima de fogo". Em 17.3-4: "A fortaleza de Efraim desaparecerá, como também o reino de Damasco e o

[1] Êx 3.8; 16.7; 28:2,40; Nm 16.9; Dt 5.24; 28.58; 2Sm 6.20; 1Cr 16.24; Et 1.4; Jó 29.20; Sl 19.1; 45.13; 63.3; 66.3; 67.6; 87.3; 102.16; 145.5,12,13; Is 4.2; 10.18; 16.40; 35.21; 40.5; 60.13; 62.2; Ez 31.18; Hb 2.14; Ag 2.3,9; Mt 6.29; 16.27; 24.30; Lc 9.31,32; Jo 1.14; 2.11; 11.40; Rm 6.4; 1Co 2.8; 15.40; 2Co 3.10; Ef 3.21; Cl 1.11; 2Ts 1.9; Tt 2.13; 1Pe 1.24; 2Pe 1.17.

restante da Síria; serão como a glória dos filhos de Israel, diz o SENHOR dos Exércitos. Naquele dia, a glória de Jacó será apoucada, e a gordura da sua carne desaparecerá". Em 21.16: "toda a glória de Quedar desaparecerá". Em 61.6: "comereis as riquezas das nações, e na sua glória vos gloriareis". Em 66.11-12: "para que sugueis [os peitos da mãe], e vos deleiteis com a abundância da sua glória. [...] Eis que estenderei sobre ela a paz como um rio, e a glória das nações, como uma torrente que transborda". Em Oseias 9.11: "Quanto a Efraim, a sua glória voará como ave". Em Mateus 4.8: "mostrou-lhe todos os reinos do mundo e a glória deles". Em Lucas 24.26: "Porventura, não convinha que o Cristo padecesse e entrasse na sua glória?". Em João 17.22: "Eu lhes tenho transmitido a glória que me tens dado". Em Romanos 5.2: "e gloriamo-nos na esperança da glória de Deus". Em 8.18: "os sofrimentos do tempo presente não podem ser comparados com a glória a ser revelada em nós" (ver tb. Rm 2.7,10; 3.23; 9.23.). Em 1Coríntios 2.7: "a sabedoria de Deus em mistério, outrora oculta, a qual Deus preordenou desde a eternidade para a nossa glória". Em 2Coríntios 4.17: "a nossa leve e momentânea tribulação produz para nós eterno peso de glória, acima de toda comparação". Em Efésios 1.18: "qual a riqueza da glória da sua herança nos santos". Em 1Pedro 4.13: "alegrai-vos na medida em que sois coparticipantes dos sofrimentos de Cristo, para que também, na revelação de sua glória, vos alegreis exultando". Em 1Pedro 1.8: "crendo, exultais com alegria indizível e cheia de glória".[2]

2 A palavra "glória" é muitas vezes empregada nas Escrituras para expressar a manifestação, emanação ou comunicação da glória interior.

Consequentemente, muitas vezes significa um resplendor ou brilho intenso causado por uma difusão de raios de luz. Assim, o brilho do sol, da lua e das estrelas é chamado glória em

[2] Ver tb. Cl 1.27; 3.4; 1Ts 2.12; 2Ts 2.14; 1Tm 3.16; 2Tm 2.10; Hb 2.10; 1Pe 1.11,21; 5.10; 2Pe 1.3; Ap 21.24,26; Sl 73.24; 149.5; Is 6.10.

1Coríntios 15.41. Mas a palavra é particularmente empregada com frequência nesse sentido referindo-se a Deus e a Cristo. Como em Ezequiel 1.28: "Como o aspecto do arco que aparece na nuvem em dia de chuva, assim era o resplendor em redor. Esta era a aparência da glória do SENHOR". E em 10.4: "Então, se levantou a glória do SENHOR de sobre o querubim, indo para a entrada da casa; a casa encheu-se da nuvem, e o átrio, da resplandecência da glória do SENHOR". Em Isaías 6.1-3: "eu vi o Senhor assentado sobre um alto e sublime trono, e as abas de suas vestes enchiam o templo. Serafins estavam por cima dele. [...] E clamavam uns para os outros, dizendo: Santo, santo, santo é o SENHOR dos Exércitos; toda a terra está cheia da sua glória". Compare-se isso com João 12.41: "Isto disse Isaías porque viu a glória dele e falou a seu respeito". Em Ezequiel 43.2: "E eis que, do caminho do oriente, vinha a glória do Deus de Israel. [...] e a terra resplandeceu por causa da sua glória". Em Isaías 24.23: "A lua se envergonhará, e o sol se confundirá quando o SENHOR dos Exércitos reinar no monte Sião e em Jerusalém; perante os seus anciãos haverá glória". Em 60.1-2: "Dispõe-te, resplandece, porque vem a tua luz, e a glória do SENHOR nasce sobre ti. Porque eis que as trevas cobrem a terra, e a escuridão, os povos; mas sobre ti aparece resplendente o SENHOR, e a sua glória se vê sobre ti". Junte-se a isso o versículo 19: "Nunca mais te servirá o sol para luz do dia, nem com o seu resplendor a lua te alumiará; mas o SENHOR será a tua luz perpétua, e o teu Deus, a tua glória".

Em Lucas 2.9: "e a glória do Senhor brilhou ao redor deles". Em Atos 22.11: "Tendo [eu, Paulo,] ficado cego por causa do fulgor daquela luz". Em 2Coríntios 3.7, o brilho do semblante de Moisés e chamado de glória do seu rosto. E a isso é comparada a glória de Cristo no versículo 18: "E todos nós, com o rosto desvendado, contemplando, como por espelho, a glória do Senhor, somos transformados, de glória em glória". E assim também se lê em 2Coríntios 4.4: "para que lhes não resplandeça a luz do evangelho da glória de Cristo, o qual é a imagem de Deus". Em 4.6: "Porque Deus, que disse: Das trevas resplandecerá a luz, ele mesmo resplandeceu em nosso coração, para iluminação do conhecimento da glória de Deus, na face de Cristo". Em Hebreus 1.3: "[Cristo] é o resplendor da glória". O apóstolo Pedro, falando da difusão do extraordinário brilho que saía da nuvem luminosa que envolveu os discípulos no monte da transfiguração, e do brilho do rosto de Cristo naquela ocasião, diz em 2Pedro 1.7: "pois ele recebeu, da parte de Deus Pai, honra e glória, quando pela Glória Excelsa lhe foi enviada a seguinte voz: Este é o meu Filho amado, em quem me comprazo". Em Apocalipse 18.1: "vi descer do céu outro anjo, que tinha grande autoridade, e a terra se iluminou com a sua glória". E em 21.11: "[A cidade santa, Jerusalém,] tem a glória de Deus. O seu fulgor era semelhante a uma pedra preciosíssima, como pedra de jaspe cristalina". Em 21.23: "A cidade não precisa nem do sol, nem da lua, para lhe darem claridade, pois a glória de Deus a iluminou". Verifique-se a palavra empregada para designar um visível resplendor ou emanação de luz nas passagens seguintes que poderão ser examinadas.[3]

A palavra "glória", da forma que é aplicada a Deus ou a Cristo, às vezes evidentemente se refere às comunicações da plenitude divina, e significa praticamente a mesma coisa que abundante bondade e graça de Deus. Isso se constata em Efésios 3.16: "para que, segundo a riqueza da sua glória, vos conceda que sejais fortalecidos com poder, mediante o seu Espírito no homem interior". A expressão "segundo a riqueza da sua glória" equivale aparentemente à que se lê em 1.7 da mesma epístola: "segundo a riqueza da sua graça". E em Efésios 2.7: "a suprema riqueza da sua graça, em bondade para conosco, em Cristo Jesus". De maneira semelhante a palavra "glória" é empregada em Filipenses 4.19: "E o meu Deus, segundo a sua

[3] Êx 16.7; 24.16-17; 40.34-35; Lv 9.3,23; Nm 14.10;16.19; 1Rs 8.11; 2Cr 5.14; 7.1-3; Is 58.8; Ez 3.23; 8.4; 9.3; 10.18-19; 11.22-23; 43.4-5; 44.4; At 7.55; Ap 15.8.)

riqueza em glória, há de suprir, em Cristo Jesus, cada uma de vossas necessidades". E em Romanos 9.23: "a fim de que também desse a conhecer as riquezas da sua glória em vasos de misericórdia". Nesse versículo e nos anteriores, o apóstolo fala da manifestação de duas atitudes por parte de Deus: sua grande ira e sua generosa graça. A ira em vasos de ira, no versículo 22; a graça, à qual ele descreve como as riquezas da sua glória, em vasos de misericórdia, no versículo 23. Assim, quando Moisés diz: "Rogo-te que me mostres a tua glória", atendendo a seu pedido Deus responde: "Farei passar toda a minha bondade diante de ti" (ver Êx. 33.18-19.).[4] O que lemos em João 12.23-32 merece atenção especial neste ponto. As palavras e o comportamento de Cristo, dos quais aqui temos uma descrição, afirmam dois fatos.

Em primeiro lugar, a felicidade e a salvação da humanidade foram um fim que, em suas lutas e sofrimentos, Cristo visou como supremo. Exatamente as mesmas coisas que observamos antes (cap. 3) a respeito da glória de Deus podem ser igualmente observadas a respeito da salvação dos seres humanos. Cristo, quando mais se aproxima das mais extraordinárias dificuldades que faziam parte de sua incumbência, acha conforto em certa perspectiva de conseguir a glória de Deus, como seu fim sublime. Ao mesmo tempo, e exatamente da mesma forma, é mencionada a salvação dos homens, como sendo o fim dessas

[4] O dr. Goodwin observa (vol. 1 de suas obras, parte 3d, p. 166) que as riquezas da graça são chamadas de riquezas da glória nas Escrituras. "As Escrituras", diz ele, "falam de riquezas em glória em Efésios 3.16, 'para que, segundo a riqueza de sua glória, vos conceda'; no entanto, é a misericórdia que está eminentemente em vista aqui, pois isso é o que Deus concede e aquilo pelo que o apóstolo ora. E ele chama a sua misericórdia de sua glória, como faz em outras passagens, como sendo a excelência mais eminente de Deus. Pode-se tecer uma comparação com Romanos 9.22,23. No versículo 22, em que o apóstolo fala em Deus tornar conhecido o poder da sua ira, diz ele: 'se Deus, querendo mostrar a sua ira e dar a conhecer o seu poder'. Mas, no versículo 23, ao falar da misericórdia, ele diz: 'a fim de que também desse a conhecer as riquezas da sua glória em vasos de misericórdia'."

grandes lutas e sofrimentos, o que contentava sua alma na expectativa de passar por aquilo. (Comparar os versículos 23-24, e também 28-29 e 31-32.)

Em segundo lugar, a glória de Deus bem como as emanações e frutos da graça na salvação da humanidade são mencionados por Cristo nessa ocasião exatamente da mesma forma, de modo que seria totalmente absurdo entendê-lo como se ele estivesse falando de duas coisas distintas. A conexão é tão forte que o que ele diz sobre a segunda deve ser entendido da maneira mais natural como uma explicação da primeira. Inicialmente ele fala de sua própria glória e da glória de seu Pai como o sublime fim a ser alcançado mediante a sua tribulação prestes a chegar; em seguida, explica e amplia isso, falando da salvação dos homens a ser obtida por meio dessa tribulação. Assim, no versículo 23 do mencionado capítulo 12 de João, ele diz: "É chegada a hora de ser glorificado o Filho do homem". E no que vem em seguida ele evidentemente mostra como devia ser glorificado, ou em que consistia a sua glória: "Em verdade, em verdade vos digo: se o grão de trigo caindo na terra, não morrer, fica ele só; mas, se morrer, produz muito fruto". Uma vez que "muito fruto" é a glória da semente, assim também a multidão de redimidos, que deveria brotar de sua morte, é a glória dele.[5] Assim, com respeito à glória de seu Pai, se lê nos versículos 27-28: "Agora, está angustiada a minha alma, e que direi eu? Pai, salva-me desta hora? Mas precisamente com este propósito vim para esta hora. Pai, glorifica o teu nome. Então, veio uma voz do céu: Eu já o glorifiquei e ainda o glorificarei". Na certeza daquilo que a voz declarou Cristo foi grandemente confortado, e sua alma até exultou ante a visão de seus sofrimentos iminentes. E em que consistia essa glória, em que a alma de Cristo tanto se confortou nesta ocasião, suas próprias palavras mostram claramente. Tendo o povo dito que havia trovejado, e outros, que um anjo

[5] Aqui talvez se possa lembrar o que foi acima observado sobre a igreja ser tantas vezes referida como a glória e a plenitude de Cristo.

lhe havia falado, Cristo lhes diz, nos versículos 30-32, o que a voz queria dizer: "Então, explicou Jesus: Não foi por mim que veio esta voz, e sim por vossa causa. Chegou o momento de ser julgado este mundo, e agora o seu príncipe será expulso. E eu, quando for levantado da terra, atrairei todos a mim mesmo". Por meio desse comportamento e das palavras de nosso Redentor, parece claro que são essas expressões da graça divina, na santificação e felicidade dos remidos, que constituem especialmente a sua glória, e a glória de seu Pai, ou seja, a alegria que foi posta diante dele e pela qual ele suportou a cruz e a vergonha; e foi essa glória o fim pelo qual ele labutou a sua alma e em cuja obtenção ele se satisfez (Is 53.10,11).

Isso conduz com aquilo que já foi observado, acerca da glória de Deus ser muitas vezes representada por um esplendor, ou emanação, ou comunicação de luz, a partir de um luminar ou fonte de luz. O que poderia, de modo tão natural e adequado, representar a emanação da glória interior de Deus, ou o fluir e a abundante comunicação dessa infinita plenitude de bondade que há em Deus? A luz é muitas vezes expressa nas Escrituras com esse sentido de conforto, alegria, felicidade, ou bondade em geral.[6]

3 De novo, a palavra "glória" aplicada a Deus nas Escrituras implica a visão ou o conhecimento da excelência de Deus. A exibição da glória destina-se à visão dos espectadores. A manifestação da glória, a emanação ou resplendor do brilho tem

[6] Isaías 6.3: "Santo, santo, santo é o Senhor dos Exércitos; toda a terra está cheia da sua glória." No original, "Sua glória é a plenitude de toda a terra", o que significa muito mais do que exprimem as palavras da tradução. A glória de Deus, que consiste especialmente em sua santidade, é aquilo diante de que ou em cujas comunicações consiste a plenitude do homem, isto é, sua santidade e felicidade. Aqui, "glória de Deus" parece dizer respeito àqueles raios refulgentes que enchiam o templo, os raios que representam a glória de Deus reluzindo e sendo comunicada. Esse esplendor ou comunicação é a plenitude de todas as criaturas inteligentes, que não têm nenhuma plenitude em si mesmas.

uma relação com os olhos. Luz e brilho têm a ver com o sentido da visão: enxergamos a luminária por sua luz. E o conhecimento é muitas vezes descrito na Bíblia como luz. A palavra "glória" repetidamente nas Escrituras significa, ou implica, honra, como qualquer um pode verificar folheando uma concordância bíblica.[7] Mas a honra implica o conhecimento da dignidade e excelência de quem tem a honra, e isso é mais frequente e especificamente significado pela palavra "glória", quando aplicado a Deus, como em Números 14.21: "Porém, tão certo como eu vivo, e como toda a terra se encherá da glória do SENHOR", isto é, todos os habitantes da terra verão as manifestações que proporcionarei da minha perfeita santidade e ódio do pecado, e, portanto, da minha infinita excelência. Isso se depreende do contexto. Assim se lê em Ezequiel 39.21-23: "Manifestarei a minha glória entre as nações, e todas as nações verão o meu juízo, que eu tiver executado, e a minha mão, que sobre elas tiver descarregado. Desse dia em diante, os da casa de Israel saberão que eu sou o SENHOR, seu Deus. Saberão as nações que os da casa de Israel, por causa da sua iniquidade foram levados para o exílio". E fica evidenciado em muitas passagens, nas quais lemos sobre Deus glorificando a si mesmo, ou sobre ele sendo glorificado, que um objetivo diretamente visado é tornar conhecida sua divina grandeza e excelência.

4 De novo, a palavra "glória" tal como é empregada nas Escrituras muitas vezes significa ou implica louvor. Isso se deduz daquilo que foi observado antes: que glória muitas vezes significa honra, isto é, alta estima e a expressão dela por palavras e ações. E é evidente que as palavras "glória" e "louvor" são repetidamente empregadas como expressões equivalentes nas Escrituras. Em Salmos 50.23: "O que me oferece sacrifício de ações de graças, esse me glorificará". Em 22.23: "Vós que temeis o SENHOR, louvai-o; glorificai-o, vós todos, descendência

[7] Ver particularmente Hb 3.3.

de Jacó; reverenciai-o, vós todos, posteridade de Israel". Em Isaías 42.8: "a minha glória, pois, não a darei a outrem, nem a minha honra, às imagens de escultura". Em 42.12: "deem honra ao Senhor e anunciem a sua glória nas terras do mar". Em 48.9,11: "Por amor do meu nome, retardarei a minha ira e por causa da minha honra me conterei para contigo. [...] Por amor de mim, por amor de mim, é que faço isto. [...] A minha glória, não a dou a outrem". Em Jeremias 13.11: "para me serem por povo, e nome, e louvor, e glória". Em Efésios 1.6: "para louvor da glória de sua graça". Em 1.12: "para louvor da sua glória". O mesmo se lê no versículo 14. A frase parece equivaler a esta de Filipenses 1.11: "[o fruto da justiça] é mediante Jesus Cristo, para a glória e louvor de Deus". E em 2Coríntios 4.15: "para que a graça, multiplicando-se, torne abundantes as ações de graças por meio de muitos, para glória de Deus".

É evidente que a expressão "o louvor de Deus" como é empregada nas Escrituras implica uma elevada estima e amor sincero, enaltecedores pensamentos em Deus e contentamento com sua própria excelência e perfeição. Isso é evidente para todos os que estão familiarizados com as Escrituras. Todavia, se alguém precisar de um convencimento completo, basta conferir entre inúmeras outras passagens dignas de menção.[8]

A mesma expressão também implica o contentamento em Deus, ou seu rejúbilo com suas próprias perfeições, como é evidenciado em Salmos 33.1: "Exultai, ó justos, no Senhor! Aos retos fica bem louvá-lo". Para outras passagens nesse mesmo sentido, ver nota.[9] Quantas vezes lemos sobre cantos de louvor! Mas o cantar é geralmente uma expressão de júbilo. É descrito como um clamor de alegria.[10] E seu uso frequente

[8] Sl 145.1-12; 34.1-3; 44.8; 21.13; 99.2-3; 107.31-32; 108.3-5; 119.164; 148.13; 150.2; Ap 19.1-3.

[9] Sl 9.1-2,14; 28.7; 35.27-28; 42.4; 63.5; 67.3-5; 71.22-23; 104.33-34; 106.47; 135.3; 147.1; 149.1-2,5-6; At 2.46-47; 3.8; Ap 19.6-7.

[10] Sl 66.1-2; 96.4-5.

implica gratidão ou amor em relação a Deus por seus benefícios a nosso favor.[11]

II Tendo considerado o que está implícito na expressão "a glória de Deus", como a vemos empregada nas Escrituras, passo a indagar o que se quer dizer com a expressão "o NOME de Deus".

O nome de Deus e sua glória, pelo menos em casos muito frequentes, significam a mesma coisa nas Escrituras. Já observamos em relação à expressão "a glória de Deus" que ela às vezes significa a segunda pessoa da Trindade; o mesmo se poderia demonstrar aqui sobre "o nome de Deus", se isso fosse necessário. Mas que o nome e a glória de Deus são muitas vezes expressões equivalentes é evidenciado por Êxodo 33.18-19. Quando Moisés diz: "Rogo-te que me mostres a tua glória", Deus atende a seu pedido dizendo: "Farei passar toda a minha bondade diante de ti e te proclamarei o nome do SENHOR". Em Salmos 8.1: "Ó SENHOR, Senhor nosso, quão magnífico em toda a terra é o teu nome! Pois expuseste nos céus a tua majestade". Em 79.9: "Assiste-nos, ó Deus e Salvador nosso, pela glória do teu nome; livra-nos e perdoa-nos os pecados, por amor do teu nome". Em 102.15: "Todas as nações temerão o nome do SENHOR, e todos os reis da terra, a sua glória". Em 148.13: "Louvem o nome do SENHOR, porque só o seu nome é excelso; a sua majestade é acima da terra e do céu". Em Isaías 48.9: "Por amor do meu nome, retardarei a minha ira e por causa da minha honra me conterei para contigo". Em 48.11: "Por amor de mim, por amor de mim, é que faço isto; porque como seria profanado o meu nome? A minha glória, não a dou a outrem". Em 59.19: "Temerão, pois, o nome do SENHOR desde o poente e a sua glória, desde o nascente do sol". Em Jeremias 13.11: "para me serem por povo, e nome, e louvor, e glória". Como a glória muitas vezes implica a manifestação, publicação e conhecimento da excelência e

[11] Sl 30.12; 35.18; 63.3-4; 66.8-9; 71.6-8; 79.13; 98.4-5; 100.4; 107.21-22; 138.2, além de muitas outras passagens.

da honra que alguém desfruta neste mundo, o mesmo também acontece com o nome. Em Gênesis 11.4: "tornemos célebre o nosso nome". Em Deuteronômio 26.19: "Para, assim, te exaltar em louvor, renome e glória sobre todas as nações".[12]

Assim, fica evidente que "nome" muitas vezes implica o mesmo significado de "louvor", segundo várias passagens bíblicas que acabamos de mencionar tais como: Isaías 48.9; Jeremias 13.11; 26.19. E também segundo Jeremias 33.9: "Jerusalém me servirá por nome, por louvor e glória, entre todas as nações da terra que ouvirem todo o bem que eu lhe faço". Em Sofonias 3.20: "farei de vós um nome e um louvor entre todos os povos da terra". E parece que a expressão ou exibição da bondade de Deus é especialmente designada por seu nome em Êxodo 33.19: "Farei passar toda a minha bondade diante de ti e te proclamarei o nome do Senhor". E em 34.5-7: "Tendo o Senhor descido na nuvem, ali esteve junto dele e proclamou o nome do Senhor. E, passando o Senhor por diante dele, [Moisés] clamou: Senhor, Senhor Deus compassivo, clemente e longânimo e grande em misericórdia e fidelidade; que guarda a misericórdia em mil gerações", etc.

E o próprio distinto brilho e resplendor na coluna de nuvem que apareceu no deserto e pairou sobre o trono de misericórdia no tabernáculo e no templo (ou melhor, o brilho e resplendor espiritual e divino representado por ela), muitas vezes denominado a "glória" do Senhor, é também frequentemente chamado o nome do Senhor. Como a glória de Deus devia expandir-se no tabernáculo, ele consequentemente promete em Êxodo 29.43: "Ali, virei aos filhos de Israel, para que, por minha glória, sejam santificados". E o templo foi denominado a casa da glória de Deus em Isaías 60.7. De maneira semelhante se diz que o nome de Deus habita no santuário. Assim, muitas vezes lemos sobre o lugar escolhido por Deus para ali abrigar

[12] Ver tb. 2Sm 7.9; 8.13; 23.18; Ne 9.10; Jó 30.8; Pv 22.1. Muitas outras passagens reproduzem esse mesmo significado.

seu nome; ou, segundo a expressão hebraica, para fazer que seu NOME ali morasse. Essa é às vezes a interpretação de nossos tradutores. Como em Deuteronômio. 12.11: "Então, haverá um lugar que escolherá o SENHOR, vosso Deus, para ali fazer habitar o seu nome". E o templo é muitas vezes mencionado como a moradia do nome de Deus. E em Salmos 74.7 o templo é chamado "a morada do teu nome". O trono de misericórdia do templo é denominado o trono do nome ou da glória de Deus em Jeremias 14.21: "Não nos rejeites, por amor do teu nome; não cubras de opróbrio o trono da tua glória". Aqui o nome de Deus e sua glória parecem mencionados como sinônimos perfeitos.

11

O fim supremo da criação do mundo é um só, e o que é esse fim

Com base no que foi observado na última seção, se tudo o que se disse em relação a esse assunto for devidamente ponderado e cada parte comparada com a outra, parece que teremos motivo para pensar que o plano do Espírito de Deus não é revelar o fim supremo de Deus como múltiplo, mas sim como uno. Pois embora ele seja designado por vários nomes, cada um envolve o outro em seu significado; ou são nomes diferentes para o mesmo conteúdo, ou nomes de várias partes de um único todo, ou o mesmo todo observado de diferentes pontos de vista ou em seus diferentes aspectos e relações. Pois parece que tudo o que constantemente se menciona nas Escrituras como um fim supremo das obras de Deus está incluído naquela única expressão, "a glória de Deus", expressão com a qual o fim supremo de Deus é mais comumente designado nas Escrituras, e parece significar essa realidade da maneira mais apropriada.

O teor dessa expressão, "a glória de Deus", quando mencionada como o supremo e derradeiro fim de todas as obras de Deus, é a emanação e a verdadeira manifestação da plenitude e glória interior de Deus, plenitude significando o que já foi explicado, ou, em outras palavras, a glória interior de Deus, numa verdadeira e justa exibição ou existência exterior dela. Confessa-se aqui que há um grau de obscuridade nessas definições. Mas talvez se trate de uma obscuridade inevitável, causada pela incapacidade da linguagem de expressar coisas de natureza tão sublime. E, portanto, o teor pode ser mais bem apreendido usando-se uma variedade de expressões, tecendo-se uma consideração específica sobre ele, procedendo por partes, por assim dizer, em vez de recorrer a qualquer breve definição.

A expressão "a glória de Deus" inclui o exercício das perfeições divinas para produzir um efeito apropriado, em vez de elas ficarem latentes e ineficazes; como, por exemplo, seu poder ficar eternamente sem produzir ação ou fruto algum; sua sabedoria ficar eternamente ineficaz sem nenhuma produção sábia ou prudente disposição de qualquer coisa, etc. Inclui a manifestação de sua glória eterna para inteligências criadas; a comunicação da infinita plenitude de Deus às criaturas; a elevada estima de Deus por parte das criaturas; o seu amor por ele e a complacência e alegria nele; e os apropriados exercícios e expressões desses sentimentos.

À primeira vista, parece tratar-se de coisas inteiramente distintas. Mas, se considerarmos a questão mais detalhadamente, elas parecerão uma coisa só, numa variedade de pontos de vista e relações. São todas apenas a emanação da glória de Deus, ou o excelente brilho e fulgor da divindade propagada, extravasando e, por assim dizer, ampliando-se; ou, em suma, existindo exteriormente. Deus exercendo sua perfeição para produzir um efeito apropriado não se distingue da emanação ou comunicação de sua plenitude; pois esse é o efeito, isto é, sua plenitude comunicada, e a produção desse efeito é a comunicação de sua plenitude, e nada existe nessa manifestação da perfeição de Deus que não seja a emanação da sua glória interior.

Ora, a glória interior de Deus reside ou em seu entendimento ou em sua vontade. A glória ou a plenitude do seu entendimento é o seu conhecimento. A glória interior e a plenitude de Deus, tendo seu assento especial em sua vontade, constituem sua santidade e beatitude. A totalidade do bem e da glória interior de Deus reside nestes três fatores, a saber: seu infinito conhecimento, sua infinita virtude ou santidade e sua infinita felicidade e júbilo. De fato, há muitos atributos em Deus, de acordo como o nosso modo de concebê-los. Mas todos podem reduzir-se a esses, ou ao grau e às circunstâncias e relações deles. Nós não temos nenhuma concepção do poder de Deus diferente do grau desses atributos, com alguma relação deles com os efeitos. A infinitude de Deus não é propriamente uma espécie distinta de bem, mas simplesmente expressa o grau de bem existente nele. Desse modo, a eternidade de Deus não é um bem distinto, mas sim a duração do bem. Sua imutabilidade é ainda o mesmo bem, com a negação do acaso. De modo que, como eu já disse, a plenitude da Divindade é a plenitude do seu entendimento, que consiste no seu conhecimento, e a plenitude de sua vontade, que consiste na sua virtude e felicidade.

Portanto, a glória exterior de Deus consiste na comunicação desses seus atributos. A comunicação do seu conhecimento consiste sobretudo na transmissão do conhecimento de si mesmo, pois esse é o conhecimento em que consiste sobretudo o entendimento da plenitude de Deus. E assim nós vemos como a manifestação da glória de Deus para mentes criadas, e a visão e o conhecimento que elas têm disso, não é distinta de uma emanação ou comunicação da plenitude de Deus, mas está claramente implícita nela. De novo, a comunicação da virtude ou santidade de Deus consiste principalmente na comunicação do amor de si mesmo. E assim percebemos como não somente a visão e o conhecimento que as criaturas têm da excelência de Deus mas também o amor e a estima delas por ele fazem parte da comunicação da plenitude de Deus. E a comunicação do júbilo e felicidade de Deus consiste sobretudo na comunicação às criaturas essa felicidade e júbilo que consistem em rejubilar-se em Deus e em sua gloriosa excelência, pois nesse júbilo consiste principalmente a própria felicidade de Deus. E nesses fatos, o conhecimento da excelência de Deus, o amor a Deus por ela e o rejubilar-se nela, e no exercício e na expressão deles consistem a honra e o louvor de Deus. De modo que eles estão claramente implícitos naquela glória de Deus que consiste na emanação de sua glória interna.

Embora todas essas coisas que parecem ser tão diversas sejam representadas por aquela glória à qual as Escrituras se referem como o fim supremo de todas as obras de Deus, todavia é evidente que não existe nela nenhuma outra variedade maior que não faça parte da própria glória interior e essencial de Deus. A glória interna de Deus reside em parte em seu entendimento e em parte em sua vontade. Essa glória interior, que tem seu assento na vontade de Deus, implica tanto a santidade quanto a felicidade dele: ambas são evidentemente a glória de Deus, de acordo com o emprego dessa expressão. De modo que, como essa glória exterior de Deus é apenas a emanação de sua glória interior, essa variedade é necessariamente uma consequência. E repito: por consequência, não existe nenhuma variedade ou distinção, exceto aquilo que logicamente surge das distintas faculdades das criaturas às quais a comunicação é feita, como algo criado à imagem de Deus, tendo elas exatamente essas duas faculdades, entendimento e vontade. Deus se comunica ao entendimento das criaturas concedendo-lhes o conhecimento de sua glória; e à vontade das criaturas concedendo-lhes santidade, que consiste primeiramente no amor de Deus; e concedendo-lhes felicidade, que consiste sobretudo no júbilo em Deus. Esses dons são a soma daquela emanação de plenitude divina que as Escrituras denominam "a glória de Deus". A primeira parte dessa glória é chamada verdade; a segunda, graça. Ver João 1.14: "cheio de graça e de verdade, e vimos a sua glória, glória como do unigênito do Pai".

Percebemos assim que o grande fim das obras de Deus, expresso de formas muito variadas nas Escrituras, é de fato apenas um. E esse fim é chamado, do modo mais apropriado e abrangente, A GLÓRIA DE DEUS, nome pelo qual esse fim é mais comumente denominado nas Escrituras. Ele é apropriadamente comparado a um fulgor ou emanação da luz de uma estrela. A luz é a expressão exterior, a exibição e manifestação da excelência da estrela, como, por exemplo, o sol. É a abundante, ampla emanação e comunicação da plenitude do sol a inumeráveis seres que a compartilham. É por essa emanação que o próprio sol é visível e sua glória é contemplada e todos os outros seres são revelados; é mediante uma participação dessa comunicação do sol que objetos circunstantes recebem todo o seu lustre, beleza e brilho. É por meio disso que toda a natureza recebe vida, conforto e alegria. A luz é abundantemente empregada nas Escrituras para representar e significar estas três realidades: conhecimento, santidade e felicidade.[1]

O que aqui foi dito pode ser suficiente para mostrar como aquelas noções mencionadas nas Escrituras como fins supremos das obras de Deus, embora possam ser à primeira vista consideradas distintas, devem ser todas obviamente reduzidas a essa única noção, a saber, a glória ou plenitude interior de Deus que existe em sua emanação. E, embora ao buscar esse fim Deus busque o bem da criatura, ainda assim nisso aparece sua suprema consideração para consigo mesmo. A emanação ou comunicação da plenitude divina, que consiste no conhecimento de Deus, no amor a ele e no júbilo nele, tem de fato relação com Deus e com a criatura; mas tem relação com Deus como fonte, pois a essência comunicada é algo de sua plenitude interior. A água do rio é algo da fonte, e os raios do sol são algo do sol. E repito: essas realidades guardam uma relação com Deus como seu objeto, pois o conhecimento comunicado é o conhecimento de Deus, e o amor comunicado é o amor de Deus, e a felicidade comunicada é o júbilo em Deus. No conhecimento, na estima, no amor e no louvor da criatura em relação a Deus,

[1] O termo é usado com o sentido de conhecimento, ou manifestação e evidência pela qual se recebe o conhecimento: ver Sl 19.8; 119.105; Pv 6.23; Is 8.20; 9.2; 29.18; Dn 5.11; Ef 5.13: "Mas todas as coisas, quando reprovadas pela luz, se tornam manifestas; porque tudo que se manifesta é luz", etc. É usado com o sentido de virtude, ou bem moral: ver Jó 25.5; Ec 8.1; Is 5.20; 24.23; 62.1; Ez 28.7,17; Dn 2.3; 1Jo 1.5, etc. E é usado diversas vezes com o sentido de conforto, alegria e felicidade: ver Et 8.16; Jó 18.8; 22.28; 29.3; 30.26; Sl 27.1; 97.11; 118.27; 112.4; Is 43.16; 50.10; 59.9; Jr 13.16; Lm 3; Ez 32.8; Am 5.18; Mq 7.8,9, etc.

a glória divina é ao mesmo tempo exibida e reconhecida. Sua plenitude é recebida e retribuída. Aqui se constata tanto uma emanação como uma reemanação. A refulgência brilha sobre a criatura e no interior dela, e é restituída à fonte de luz. Os raios de glória provindos de Deus são algo de Deus e são novamente remetidos à fonte original de luz. Assim o todo pertence a Deus, está em Deus e se destina a Deus. Ele é o começo, o meio e o fim.

Embora seja verdade que Deus nesses elementos tem respeito pelas criaturas, todavia seu respeito por si mesmo e pelas criaturas não são propriamente um respeito duplo ou dividido. O que já se disse nos capítulos 3 e 4 pode ser suficiente para mostrar isso. Contudo, talvez não seja inoportuno tecer aqui alguns comentários, mesmo que a maioria deles esteja implícita no que já foi dito antes.

Quando estava prestes a criar o mundo, Deus teve respeito pela emanação de sua glória, que é de fato a consequência da criação, tanto em relação a si mesmo quanto em relação à criatura. Ele teve consideração por ela vendo-a como uma emanação de si mesmo, uma comunicação de si mesmo, como algo comunicado que por sua natureza recaía sobre ele mesmo como o termo final. E também teve consideração por ela pois a emanação era para a criatura e a essência comunicada estava na criatura, que era seu sujeito.

E Deus teve consideração por ela dessa maneira do mesmo modo que tinha uma suprema consideração por si mesmo e um apreço por sua própria infinita glória interior. Foi esse apreço por si mesmo que o levou a estimar e buscar que sua glória interior fluísse dele e se expandisse. Foi por causa do seu apreço por suas gloriosas perfeições de sabedoria, justiça, etc. que ele valorizou o exercício e os efeitos apropriados dessas perfeições com sábios e justos atos e efeitos. Foi por seu infinito apreço a sua glória e plenitude interior que ele valorizou a própria essência comunicada, que é algo dessa essência presente na criatura. Assim, por causa do seu infinito apreço de sua própria glória, que consiste no conhecimento de si mesmo, no amor de si mesmo e na complacência e júbilo em si mesmo, ele consequentemente valorizou a imagem, a comunicação ou participação desses atributos na criatura. E é porque ele tem apreço a si mesmo que ele se deleita no conhecimento, no amor e no júbilo da criatura, por ser ele mesmo o objeto desse conhecimento, amor e complacência. Pois uma consequência lógica da verdadeira estima e amor é que nós apreciamos a estima de outros pelo mesmo objeto que nós estimamos, e não gostamos do contrário. Pela mesma razão, Deus aprova a estima e o amor de outros por ele.

Assim, é fácil conceber como Deus deve buscar o bem da criatura, que consiste no conhecimento e na santidade dela e na sua felicidade, a partir de uma consideração suprema por Deus. Pois a felicidade dele nasce daquilo que é uma imagem e participação da própria beleza de Deus e consiste na prática de uma suprema consideração por Deus da parte da criatura e numa complacência nele; numa contemplação da glória de Deus, na estima e no amor por ela e num rejúbilo nela; e na prática e no testemunho do amor de Deus e supremo respeito para com ele, o que equivale a dizer que a criatura exalta a Deus como seu bem principal e faz dele seu fim supremo.

Embora a emanação da plenitude de Deus planejada na criação vise a criatura como seu objeto, e embora a criatura seja o sujeito da plenitude comunicada, que é o bem da criatura, todavia isso não significa necessariamente que, mesmo fazendo isso, Deus deixou de fazer de si mesmo seu fim. Tudo resulta na mesma coisa. O respeito de Deus pelo bem da criatura e seu respeito por si mesmo não são respeitos divididos; os dois estão unidos num só, como a felicidade da criatura visada é felicidade numa união de Deus consigo mesmo. A criatura só é feliz com essa felicidade que Deus torna seu fim supremo se ela se unificar com Deus. Quanto maior a felicidade, tanto maior a união. Quando a felicidade é perfeita, a união é perfeita. E, uma vez que a felicidade irá aumentando pela eternidade, a união se tornará cada vez mais íntima e perfeita, aproximando-se e se parecendo mais com aquela existente entre Deus Pai e o Filho, que são tão unidos que o interesse deles é perfeitamente um só. Se a felicidade da criatura for considerada no todo da eterna duração da criatura, com toda a infinitude de seu progresso e o infinito aumento de proximidade e união com Deus, a criatura deve ser vista numa intimidade de infinita união com Deus.

Se Deus tem respeito por algo existente na criatura, que ele vê como tendo duração eterna e elevando-se cada vez mais alto através dessa duração infinita, e isso sem uma constante diminuição, mas talvez com uma crescente celeridade, então ele tem um respeito pela criatura como parte do todo, de altura infinita, embora nunca venha a existir nenhum tempo específico em que se possa dizer que ela já atingiu tal altura.

Represente-se a perfeitíssima união com Deus por algo situado a uma altura infinita acima de nós; e represente-se a eternamente crescente união dos santos com Deus mediante algo que está constantemente em ascensão rumo a uma altura infinita, movendo-se para o alto a uma determinada velocidade, movimento que deve continuar assim por toda a eternidade. Deus, que enxerga a totalidade dessa eternamente crescente altura, a vê como uma altura infinita. E se ele tem respeito por ela e faz dela seu fim, tal qual o fim de tudo, ele a respeita como uma altura infinita, embora nunca chegue o tempo em que se possa dizer que ela já atingiu essa altura infinita. Deus visa aquilo que o movimento ou progressão que ele causa visa ou para o qual tende. Se houver muitas coisas supostamente assim feitas ou designadas, que por um movimento constante e eterno tendem todas para um determinado centro, então parece que quem as fez e é a causa desse movimento visou esse centro, o termo do movimento delas, para o qual elas eternamente tendem num eterno esforço, por assim dizer, de alcançá-lo. E se Deus for o centro, então Deus visou a si mesmo. E nisso parece que, como ele é o autor da existência e do movimento delas, assim também ele é o seu derradeiro fim, o termo final da suprema tendência e alvo delas.

Podemos avaliar o fim visado pelo Criador no ser, na natureza e na tendência que ele atribui às criaturas pela marca do termo que elas constantemente visam em sua tendência e eterno avanço, embora nunca chegue o tempo em que se possa dizer que o termo já tenha sido atingido da maneira absolutamente mais perfeita. Mas, se a intimidade da união com Deus for vista sendo assim infinitamente exaltada, então as criaturas devem ser consideradas na prática como intimamente unidas a Deus. Sendo elas enxergadas assim, o interesse delas deve ser visto como unificado com o interesse de Deus. E assim ele não é considerado propriamente com um respeito dissociado e separado, mas sim como indiviso. E, quanto a qualquer dificuldade de reconciliar o fato de Deus não fazer das criaturas seu fim supremo, com uma consideração propriamente distinta de uma consideração por si mesmo, com sua benevolência e generosa graça e a obrigação de gratidão da parte das criaturas, o leitor deve recorrer ao capítulo 4, quarta objeção, em que essa questão foi amplamente ponderada e respondida.

Se, em vista da intimidade da união de um homem com sua família, o interesse dos envolvidos pode ser considerado como um só, com muito mais razão deve-se considerar a ligação de Cristo com sua igreja — cuja primeira união no céu é indizivelmente mais perfeita e elevada do que aquela de um pai terreno com sua família — se Cristo e sua igreja forem considerados em sua eterna e crescente união. Sem dúvida, pode-se justamente considerá-la como uma só a ponto de poder ser visada com um respeito indiviso, não distinto nem separado. É certo que o que Deus visou na criação do mundo foi o bem que seria a consequência da criação, em toda a continuação dos seres criados.

Deus visa uma união infinitamente perfeita da criatura consigo mesmo. Não constitui nenhuma objeção sólida o fato de que nunca chegará o momento específico em que se poderá dizer que essa união infinitamente perfeita aconteceu. Na condenação eterna dos pecadores, Deus quer fazer justiça; isso acontecerá mediante a condenação, considerada unicamente em relação a sua duração eterna. Mesmo assim, nunca chegará aquele momento específico em que se poderá dizer que foi feita a justiça. Mas, se isso não satisfaz nossos modernos livres-pensadores, que não gostam de falar da satisfação da justiça mediante uma pena eterna, eu suponho que ninguém irá negar que Deus, na glorificação dos santos do céu com uma felicidade eterna, visa conceder sua infinita graça ou benevolência por meio da concessão de um bem infinitamente valioso, porque eterno. E, contudo, nunca chegará o momento em que se poderá dizer que agora essa dádiva infinitamente boa foi de fato concedida.

Compartilhe suas impressões de leitura,
mencionando o título da obra, pelo e-mail
opiniao-do-leitor@mundocristao.com.br
ou por nossas redes sociais

Esta obra foi composta com tipografia Janson Text
e impresso em papel Holmen Book 60 g/m² na Geográfica